KU-194-905

A

ATLANTIS

M I L A N K U N D E R A

směšné lásky

POVÍDKY

S DOSLOVEM JIŘÍHO OPELÍKA

A POZNÁMKOU AUTORA

ISBN 80-7108-027-6

SMĚŠNÉ LÁSKY

NIKDO SE NEBUDE SMÁT

ZLATÉ JABLKO VĚČNÉ TOUHY

FALEŠNÝ AUTOSTOP

SYMPOSION

AŤ USTOUPÍ STAŘÍ MRTVÍ MLADÝM MRTVÝM

DOKTOR HAVEL PO DVACETI LETECH

EDUARD A BŮH

NIKDO SE NEBUDE SMÁT

Nikdo se nebude smát

1

„Nalej mi ještě slivovici," řekla mi Klára a já jsem nebyl proti. Záminka pro otevření láhve nebyla nijak nadobyčejná, ale byla: Dostal jsem toho dne poměrně značný honorář za poslední část své studie, která byla otiskována na pokračování v odborném výtvarnickém časopise.

Už to, že studie vyšla, nebylo jen tak. To, co jsem napsal, bylo samý osten a samá polemika. Proto mi moji studii nejdříve odmítli v časopise Výtvarná myšlenka, kde je redakce vousatější a opatrnější, a pak ji teprve otiskli v menším konkurenčním výtvarnickém listě, kde jsou redaktoři mladší a nerozvážnější.

Honorář mi donesl pošťák na fakultu a s ním také jakýsi dopis; bezvýznamný dopis; ve své čerstvě narozené bohorovnosti jsem ho ráno sotva přečetl. Avšak nyní doma, kdy se čas chýlil k půlnoci a hladina v láhvi ke dnu, vzal jsem ho se stolu, aby nám posloužil k obveselení.

„Vážený soudruhu, a dovolíte-li mi to oslovení — můj kolego!" předčítal jsem Kláře. „Omluvte, prosím, že já, člověk, s nímž jste v životě nemluvil, Vám toto píši. Obracím se na Vás s prosbou, abyste si laskavě přečetl přiloženou stať. Osobně Vás sice neznám, ale vážím si Vás jako muže, jehož soudy, úvahy a závěry mne udivily takovou shodou s výsledky mého vlastního bádání, že jsem z toho byl úplně konsternován. Tak např. i když se skláním před Vašimi úsudky a srovnávací analýzou, jíž mne možná předčíte, přece upozorňuji důrazně, že myšlenku o tom, že české umění mělo vždycky blízko k lidu, jsem vyslovil dříve, než jsem přečetl Vaše pojednání. Mohl bych to také lehce dokázat, neboť mám na to mezi jiným i svědky. To však toliko jenom na okraj, neboť Vaše pojednání..." následovalo další velebení mé znamenitosti a pak prosba. Jestli bych laskavě nenapsal o jeho stati recenzi, to jest lektorský posudek pro časopis Výtvarná myšlenka, kde jeho stať už déle než půl roku odmítají a zneuznávají. Řekli mu, že můj posudek bude rozhodující, takže já jsem se teď stal jedinou pisatelovou nadějí, jediným světýlkem v jeho úporných temnotách.

Dělali jsme si z pana Zátureckého, jehož vznešené jméno nás fascinovalo, legraci; ovšem legraci docela ušlechtile míněnou, neboť chvála, jíž mne zahrnul, zejména v blíženectví se znamenitou slivovicí, mne obměkčovala. Obměkčila mne tak, že jsem v těch nezapomenutelných chvílích miloval celý svět. Ovšem z celého světa především Kláru, už proto, že seděla naproti mně, kdežto ostatní svět byl mi skryt za stěnami mé vršovické mansardy. A ježto jsem právě neměl, čím bych obdarovával svět, obdarovával jsem Kláru. Alespoň sliby.

Klára byla dvacetiletá dívka z dobré rodiny. Co říkám, z dobré, z výborné! Tatínek býval ředitelem banky a byl někdy v padesátém roce jako zástupce velkoburžoazie vystěhován do vesnice Čelákovic, pěkný kus za Prahu. Dceruška měla špatný kádrový posudek a pracovala jako švadlena u šicího stroje ve velké dílně pražských módních závodů. Seděl jsem proti ní a usiloval jsem zvýšit si její náklonnost tím, že jsem jí lehkomyslně vyprávěl o výhodách zaměstnání, které jsem jí slíbil s pomocí svých přátel obstarat. Tvrdil jsem, že je nemožné, aby tak sličná dívka utrácela svou krásu nad šicím strojem, a rozhodl jsem se, že je třeba, aby se stala manekýnkou.

Klára mi neodporovala a prožili jsme noc ve šťastném srozumění.

2

Člověk prochází přítomností se zavázanýma očima. Smí pouze tušit a hádat, co vlastně žije. Teprve později mu odvážou šátek s očí a on, pohlédnuv na minulost, zjistí, co žil a jaký to mělo smysl.

Domníval jsem se toho večera, že zapíjím své úspěchy, a vůbec jsem netušil, že je to slavnostní vernisáž mých konců.

A protože jsem nic netušil, probudil jsem se dalšího dne v dobré náladě, a zatímco Klára vedle mne ještě šťastně oddychovala, vzal jsem si do postele stať, která byla k dopisu přiložena, a s rozmarnou lhostejností jsem ji přečetl.

Jmenovalo se to „Mikoláš Aleš, mistr české kresby“ a nestálo to opravdu ani za tu půlhodiny nepozornosti, kterou jsem tomu věnoval. Byl to sběr samozřejmostí, které byly na sebe nakupeny bez nejmenšího smyslu pro vzájemnou souvislost a bez nejmenší ctižádosti rozmnožit je nějakou vlastní myšlenkou.

Bylo zcela jasné, že jde o pitomost. Doktor Kalousek, redaktor Výtvarné myšlenky (jinak neobyčejně protivný člověk), mi to ostatně ještě téhož dne telefonicky potvrdil; zavolal mi na fakultu: „Prosím tě, dostals ten traktát od toho Zátureckýho?... Tak to napiš. Už mu to zřezalo pět lektorů a on pořád otravuje, teď si usmyslel, že jediná skutečná autorita jsi ty. Napiš ve dvou větách, že je to blbý, to ty už dovedeš, jedovatej umíš být dost; a budeme mít všichni pokoj.“

Jenomže ve mně se cosi vzpříčilo: Proč právě *já* mám být katem pana Zátureckého? Dostávám snad za to *já* redakční plat? Pamatoval jsem si ostatně velmi dobře, že mi ve Výtvarné myšlence odmítli z opatrnosti mou stať; zato jméno pana Zátureckého pojilo se mi pevným poutem vzpomínky s Klárou, slivovicí a krásným večerem. A konečně — nebudu to popírat, je to lidské — spočítal bych na jednom prstu lidi, kteří mne považují za „skutečnou autoritu“: proč bych měl tedy toho jediného ztrácet?

Zakončil jsem rozhovor s Kalouskem nějakou vtipnou neurčitostí, kterou on mohl považovat za příslib a já za vytáčku, a položil jsem sluchátko, jsa pevně rozhodnut, že posudek na pana Zátureckého nikdy nenapíšu.

Místo toho jsem vytáhl ze zásuvky dopisní papír a napsal jsem panu Zátureckému dopis, kde jsem se vyhnul jakémukoli úsudku o jeho práci a vymluvil se, že mé názory na malířství devatenáctého století jsou obecně považovány za scestné a výstřední, a že by proto má přímluva — zejména v prostředí redakce Výtvarné myšlenky — mohla věci spíš uškodit než prospět; přitom jsem zahrnul pana Zátureckého přátelskou hovorností, z níž nebylo možno nevyčíst mou přízeň.

Sotva jsem hodil dopis do schránky, na pana Zátureckého jsem zapomněl. Ale pan Záturecký nezapomněl na mne.

3

Jednoho dne, když jsem právě končil přednášku — přednáším na naší vysoké škole o dějinách malířství — zaklepala na dveře třídy naše sekretářka, paní Marie, vlídná starší dáma, která mi občas vaří kávu a zapírá mne v telefonu před nežádoucími ženskými hlasy. Naklonila se do třídy a řekla, že prý mne čeká nějaký pán.

Z pánů nemám strach a tak jsem se rozloučil s posluchači a vyšel v dobré míře na chodbu. Tam se mi ukláněl pomenší mužík v obnošených černých šatech a bílé košili. Velice uctivě mi oznámil, že je Záturecký.

Pozval jsem hosta do volné místnosti, nabídl jsem mu křeslo a začal jsem s ním žoviálně rozprávět o všem možném, o tom, jaké je špatné léto a jaké jsou v Praze výstavy. Pan Záturecký zdvořile přisvědčoval na každý můj šplecht, avšak snažil se záhy vztahovat každou mou poznámku na svou stať o Mikoláši Alšovi, která tu náhle ležela mezi námi ve své neviditelné substanci jako neodstranitelný magnet.

„Nic bych neudělal raději, než napsal o vaší práci posudek," řekl jsem konečně, „ale vysvětlil jsem vám v dopise, že mne nikde nepovažují za odborníka na české devatenácté století a že jsem navíc trochu na štíru s redakcí Výtvarné myšlenky, kde mne mají za zatvrzelého modernistu, takže by vám má kladná recenze mohla jen ublížit."

„Ó, jste příliš skromný," řekl pan Záturecký, „vy, takový znalec, jak můžete tak černě posuzovat své postavení! V redakci mi řekli, že bude všechno záviset jen na vašem posudku. Když se za mou stať postavíte, otisknou ji. Jste moje jediná záchrana. Je to dílo tříletého studia a tříleté práce. Všechno je nyní ve vašich rukou."

Jak lehkomyslně a z jak špatného zdiva buduje člověk své výmluvy! Nevěděl jsem, co mám panu Zátureckému odpovědět. Podíval jsem se mu maně do tváře a zpozoroval jsem, že se na mne dívají nejen malé, starodávné, nevinné brejličky, ale i mocná, hluboká, kolmá vráska na čele. V krátké chviličce jasnozření přelétl mi po zádech mráz: Ta vráska, soustředěná a úporná, prozrazovala totiž nejen myšlenková muka, jež její majitel absolvoval nad kresbami Mikoláše Alše, ale i neobyčejnou schopnost vůle. Ztratil jsem duchapřítomnost a nenašel žádnou chytrou výmluvu. Věděl jsem, že recenzi nenapíšu, ale věděl jsem také, že nemám síly říci to úpěnlivému mužíkovi do očí.

A tak jsem se začal usmívat a cosi neurčitě slibovat. Pan Zátureckÿ mi děkoval a řekl, že se zase brzo přijde zeptat. Rozloučil jsem se s ním pln úsměvů.

Za pár dnů opravdu přišel. Šikovně jsem se mu vyhnul, ale další den mne prý už na fakultě sháněl znovu. Pochopil jsem, že je zle. Šel jsem rychle za paní Marií učinit náležitá opatření.

„Mařenko, prosím vás, kdyby mne ještě někdy hledal tamten pán, řekněte, že jsem odjel na studijní cestu do Německa, že se vrátím až za měsíc. A abyste o tom věděla: Mám, jak známo, všechny svoje přednášky v úterý a ve středu. Přeložím je teď tajně na čtvrtek a na pátek. Budou o tom vědět jenom posluchači, nikomu o tom neříkejte a nechte rozvrh neopravený. Musím odejít do ilegality.“

4

Pan Zátureckÿ mne opravdu brzo přišel zase vyhledat na fakultu a byl zoufalý, když mu sekretářka oznámila, že jsem náhle odjel do Německa. „To přece není možné! Pan asistent má o mně napsat recenzi! Jak mohl takhle odjet?“ „Já nevím,“ říkala paní Marie, „však on se za měsíc vrátí.“ „Zase další měsíc...“ naříkal pan Záturecký: „A neznáte jeho adresu v Německu?“ „Neznám,“ řekla paní Marie.

A tak jsem měl měsíc pokoj.

Ale měsíc utekl rychleji, než jsem tušil, a pan Zátурecký stál opět v kanceláři. „Ne, ještě se nevrátil,“ řekla mu paní Marie, a když mne o něco později potkala, úpěnlivě mne prosila: „Ten váš mužíček tu už zase byl, co mu mám proboha říct?“ „Řekněte mu, Mařenko, že jsem v Německu dostal žloutenku a ležím tam v Jeně v nemocnici.“ „V nemocnici!“ vykřikl pan Zátурecký, když mu to Mařenka o několik dnů později sdělila. „To není možné! Pan asistent musí přece o mně napsat recenzi!“ „Pane Zátурecký,“ řekla sekretářka vyčítavě, „pan asistent leží kdesi v cizině vážně nemocen a vy myslíte jenom na svoji recenzi.“ Pan Zátурecký se shrbil a odešel, ale za čtrnáct dní stál v kanceláři znovu: „Poslal jsem panu asistentovi do Jeny doporučený dopis na adresu nemocnice — a dopis mi přišel zpátky!“ „Já už se z toho vašeho mužíka zblázním,“ řekla mi další den paní Marie. „Nesmíte se na mě zlobit. Co jsem mu měla říct? Pověděla jsem mu, že už jste se vrátil. Musíte si s ním poradit sám.“

Nezlobil jsem se na paní Marii. Dělala, co mohla. A já jsem se ostatně zdaleka necítil poražen. Věděl jsem, že jsem nepolapitelný. Žil jsem výhradně tajně. Tajně jsem ve čtvrtek a v pátek přednášel a tajně jsem se vždycky v úterý a ve středu krčil ve vratech jednoho domu naproti škole a radoval se z pohledu na pana Zátureckého, který hlídkoval před školou a čekal, kdy vyjdu ven. Toužil jsem nasadit si buřinku a nalepit plnovous. Připadal jsem si jako Sherlock Holmes, jako maskovaný Jack, jako Neviditelný, jenž kráčí městem, připadal jsem si jako kluk.

Jednoho dne však pana Zátureckého hlídkování omrzelo a udeřil tvrdě na paní Marii. „Kdy vlastně soudruh asistent přednáší?“ „Tam máte rozvrh,“ ukázala paní Marie na stěnu, kde byly na velké rozčtverečkované desce se vzornou přehledností zakresleny všecky vyučovací hodiny.

„To já vím,“ nedal se odbýt pan Záturecký. „Jenomže soudruh asistent tu ani v úterý ani ve středu nikdy nepřednáší. Je hlášen jako nemocný?“

„Není,“ řekla paní Marie v rozpacích.

A tu se mužíček na paní Marii obořil. Vyčetl jí, jaký to má pořádek v rozvrhu. Tázal se ironicky, jak to, že neví, kde který pedagog kdy je. Oznámil jí, že si na ni bude stěžovat. Křičel. Prohlásil, že si bude stěžovat i na soudruha asistenta, který nepřednáší, přestože přednášet má. Otázal se, je-li přítomen rektor.

Rektor naneštěstí přítomen byl.

Pan Záturecký zaklepal na jeho dveře a vešel. Asi za deset minut se vrátil do kanceláře paní Marie a ptal se jí stroze na adresu mého bytu.

„Litomyšl, Skalníkova 20,“ řekla paní Marie.

„Jak to, Litomyšl?“

„V Praze má pan asistent jenom přechodné bydliště a nepřeje si, abych ho sdělovala...“

„Žádám vás, abyste mi dala adresu pražského bytu soudruha asistenta,“ křičel mužíček třesoucím se hlasem.

Paní Marie ztratila jakoukoli rozvahu. Vydala mu adresu mé mansardy, mého ubohého útočiště, mé sladké nory, v níž jsem měl být dopaden.

5

Ano, moje trvalé bydliště je v Litomyšli; mám tam maminku, kamarády a vzpomínky na tatínka; pokud můžu, ujíždím z Prahy a studuji a píšu doma, v malém maminčině bytě. Tak se také stalo, že jsem si ponechal formálně maminčin byt jako své trvalé bydliště a v Praze jsem nebyl s to se ani postarat o pořádnou garsoniéru, jak by se slušelo a patřilo, ale bydlel jsem kdesi ve Vršovicích v podnájmu, v malé, úplně samostatné mansardě, jejíž existenci jsem co možná tajil a nikde neohlašoval, už proto, aby nedocházelo ke zbytečným setkáním nežádoucích hostů s různými mými dočasnými spoluobyvatelkyněmi nebo návštěvnicemi.

Nemohu popřít, že právě z těchto příčin neměl jsem v domě právě nejlepší pověst. Půjčil jsem také několikrát, během svých litomyšlských pobytů, pokojík kamarádům, kteří se tam bavili až příliš dobře a nedali celou noc zamhouřit nikomu v domě oko. To všechno pohoršovalo některé obyvatele domu, takže proti mně vedli tichý boj, který se občas projevil v posudcích, které na mne dával uliční výbor, a dokonce i v jedné stížnosti podané na bytový úřad.

V době, o níž vyprávím, zdálo se Kláře již obtížné dojíždět do práce až odkudsi z Čelákovic, a tak u mne začala zůstávat přes noc. Nejdřív jen nesměle a výjimečně, pak si u mne uložila jedny šaty, pak několik šatů a zanedlouho se v šatníku krčily mé dva obleky v koutku a můj pokojík se změnil v dámský salónek.

Měl jsem Kláru v oblibě; byla krásná; těšilo mne, že se za námi ohlíželi lidé, když jsme spolu šli; byla nejméně o třináct let mladší, což zvyšovalo mou vážnost u posluchačů; měl jsem prostě tisíc důvodů si jí hledět. Nechtěl jsem však, aby se vědělo, že u mne bydlí. Bál jsem se pověstí a klepů u nás v domě; bál jsem se, aby někdo nezačal útočit na mého hodného starého bytného, který byl diskrétní a nestaral se o mne; bál jsem se, aby jednoho dne nerad a s těžkým srdcem nepřišel mne prosit, abych kvůli jeho dobré pověsti od sebe slečnu vykázal.

Klára měla proto přísně nařízeno nikomu neotvírat.

Onoho dne byla sama doma. Byl slunný den a v mansardě bylo skoro dusno. Povalovala se proto nahá na mém gauči, zabývajíc se pozorováním stropu.

A tehdy se náhle ozvalo bušení na dveře.

Nebylo to nic znepokojujícího. Neměl jsem u své mansardy zvonek, takže kdo přišel, musil tlouct. Klára se tedy nedala rámusem vyrušit a nikterak nemínila přestat pozorovat strop. Ale bušení neustávalo; pokračovalo naopak dál s klidnou a nepochopitelnou vytrvalostí. Klára znervózněla; začala si představovat, že přede dveřmi stojí muž, jenž zvolna a významně obrací klopu saka, muž, jenž na ni posléze zhurta uhodí, proč neotvírá, co zatajuje, co skrývá a je-li tu hlášena. Zachvátil ji pocit provinilce; sklopila oči ze stropu a shledávala rychle, kde nechala ležet šaty. Ale bušení znělo tak úporně, že ve zmatku nenašla nic jiného než můj balonový plášť. Oblékla si ho a otevřela dveře.

Tam však uviděla místo zlé vyšetřující tváře jen malého mužíčka, který se ukláněl: „Je pan asistent doma?“ „Ne, není doma...“ „To je škoda,“ řekl mužíček a omlouval se zdvořile, že ruší. „Pan asistent má totiž o mně napsat recenzi. Slíbil mi to a ta věc už velice spěchá. Kdybyste dovolila, nechal bych mu tu alespoň vzkaz.“

Klára dala mužíčkovi papír a tužku a já jsem se večer dočetl, že osud stati o Mikoláši Alšovi je jedině v mých rukou a že pan Záturecký v hluboké úctě čeká na mou recenzi a pokusí se mne opět vyhledat na fakultě.

6

Nazítří mi vyprávěla paní Marie, jak jí pan Záturecký vyhrožoval, jak křičel a jak si šel na ni stěžovat; chvěl se jí hlas a bylo jí do pláče; dostal jsem vztek. Chápal jsem moc dobře, že sekretářka, která se až dosud smála mé hře na schovávanou (ačkoli dám krk na to, že to dělala spíš z laskavosti ke mně než z upřímné veselosti), cítí se nyní ublížena a vidí pochopitelně příčinu svých nepříjemností ve mně. A když jsem k tomu připočetl prozrazení své mansardy, desetiminutové bušení na dveře a vylekání Kláry, můj vztek rostl v zuřivost.

A jak tak chodím sem a tam po kanceláři paní Marie, jak se koušu do rtů, jak vřu a přemýšlím o pomstě, otevřou se dveře a objeví se v nich pan Záturecký.

Když mne uviděl, zasvitl v jeho tváři záblesk štěstí. Uklonil se a pozdravil.

Přišel trochu předčasně, přišel dřív, než jsem stačil uvážit svou pomstu.

Zeptal se, jestli jsem včera dostal jeho vzkaz.

Mlčel jsem.

Zopakoval otázku.

„Dostal," povídám.

„A napíšete, prosím, tu recenzi?"

Viděl jsem ho před sebou; neduživého, úporného, úpěnlivého; viděl jsem kolmou vrásku, která kreslila na jeho čele čáru jediné vášně; pozoroval jsem tuto jednoduchou čáru a pochopil jsem, že je to přímka určená dvěma body: mou recenzí a jeho statí; že mimo neřest této maniacké přímky neexistuje v jeho životě než světecká askeze. A tu mne napadla spásná zlomyslnost.

„Doufám, že chápete, že po včerejšku už s vámi nemám co mluvit," řekl jsem.

„Nerozumím vám."

„Nepřetvařujte se. Řekla mi vše. Je zbytečné, abyste zapíral."

„Nerozumím vám," opakoval znovu, ale tentokrát již odhodlaněji, malý mužík.

Nasadil jsem žoviální, málem přátelský tón: „Podívejte se, pane Záturecký, nebudu vám nic vyčítat. Vždyť já jsem také děvkař a chápu vás. Já bych na vašem místě taky obtěžoval tak krásnou dívku, kdybych se s ní octl sám v bytě a ona byla pod mužským baloňákem nahá."

„To je urážka," zbledl malý muž.

„Ne, to je pravda, pane Záturecký."

„To vám říkala ta dáma?"

„Nemá přede mnou tajemství."

„Soudruhu asistente, to je urážka! Já jsem ženatý člověk. Já mám ženu! Já mám děti!" Malý muž udělal krok vpřed, takže jsem před ním musel ustoupit.

„Tím hůř, pane Záturecký."

„Jak to myslíte, tím hůř?"

„Myslím to tak, že jste-li ženatý, je to pro vaše děvkaření přitěžující okolnost."

„To odvoláte!" řekl pan Záturecký výhružně.

„No tak dobrá," připustil jsem. „Ženatý stav nemusí být vždycky přitěžující okolností pro děvkaře. Někdy může naopak leccos omlouvat. Ale na tom nezáleží. Řekl jsem vám, že se na vás nijak nehněvám a docela vás chápu. Nechápu jen jedno. Jak můžete od člověka, o jehož ženu usilujete, chtít ještě recenzi."

„Soudruhu asistente! O tu recenzi vás žádá doktor Kalousek, redaktor časopisu Akademie věd Výtvarná myšlenka! A vy tu recenzi musíte napsat!"

„Recenzi nebo ženu. Obojí žádat nesmíte."

„Jak se to chováte, soudruhu!" zakřičel na mne pan Záturecký v zoufalém hněvu.

Divná věc, náhle jsem měl pocit, že pan Záturecký mi opravdu chtěl svést Kláru. Vzkypěl jsem a zakřičel: „Vy se opovažujete mne napomínat? Vy, který byste se mi tu měl před paní sekretářkou pokorně omluvit?"

Otočil jsem se k panu Zátureckému zády a on, vyveden z míry, vypotácel se ven.

„No tak," oddechl jsem si jako po těžkém vítězném boji a řekl jsem paní Marii: „Teď už snad po mně recenzi chtít nebude."

Paní Marie se usmívala a po chvíli se mne nesměle zeptala: „A proč mu nechcete vlastně ten posudek napsat?"

„Protože ta věc, Mařenko, co napsal, je strašná kravina."

„A proč teda v tom posudku nenapíšete, že je to kravina?"

„Proč bych to psal? Proč si mám znepřátelovat lidi?"

Paní Marie se na mne podívala se shovívavým úsměvem; v tu chvíli se otevřely dveře a v nich se objevil pan Záturecký se vztaženou rukou:

„Ne já! Vy mně se budete muset omluvit!"

Zvolal to třesoucím se hlasem a opět zmizel.

7

Nepamatuju se přesně, snad ještě téhož dne, snad o několik dnů později, našli jsme v mé schránce obálku bez adresy. Uvnitř bylo napsáno těžkým, téměř neumělým písmem: Vážená! Dostavte se ke mně v neděli ohledně urážky mého manžela. Budu celý den doma. Když se nedostavíte, byla bych nucena učinit opatření. Anna Záturecká, Praha 3, Dalimilova 14.

Klára byla vyděšená a začala cosi mluvit o mé vině. Mávl jsem rukou a prohlásil, že smyslem života je bavit se životem, a že je-li život na to příliš lenivý, nezbývá nám než ho trochu postrčit. Člověk musí neustále osedlávat příběhy, ty střelhbité klisničky, bez nichž by se ploužil v prachu jako unuděný pěšák. Když mi Klára řekla, že ona sama žádné příběhy osedlávat nechce, ujistil jsem ji, že se s paní Zátureckou ani s panem Záturecký m nikdy nesetká a že příběh, do jehož sedla jsem naskočil, zmůžu hravě sám.

Ráno, když jsme vycházeli z domu, zastavil nás domovník. Domovník není nepřítel. Uplatil jsem ho kdysi moudře padesátikorunou a žil jsem od té doby v příjemném přesvědčení, že se o mně naučil nic nevědět a že nepřilévá olej do ohně, který proti mně živí mí nepřátelé.

„Včera vás tu hledali nějací dva," řekl.

„Jací dva?"

„Takovej malej se ženskou."

„Jak vypadala ta ženská?"

„Vo dvě hlavy větší. Hrozně energická. Přísná ženská. Na všechno se vyptávala." Obrátil se ke Kláře: „Hlavně na vás. Kdo prej jste a jak se jmenujete."

„Proboha, co jste jí řekl?" vyjekla Klára.

„Co bych jí řekl. Copak vím, kdo k panu asistentovi chodí? Řekl jsem jí, že k němu chodí každej večer jiná."

„To je výborné," vytahoval jsem z kapsy desetikorunu. „Jenom to tak říkejte dál."

„Neboj se," řekl jsem potom Kláře, „v neděli nikam nepůjdeš a nikdo tě nevypátrá."

A přišla neděle, po neděli pondělí, úterý, středa; nestalo se nic. „Tak vidíš," řekl jsem Kláře.

Pak ale přišel čtvrtek. Vyprávěl jsem posluchačům na obvyklé tajné přednášce, jak mladí fauvisté horečně a v nezištné družnosti osvobozovali barvu od její dřívější impresionistické popisnosti, když tu otevřela dveře paní Marie a šeptem mi řekla: „Je tady žena od toho Zátureckého." „Vždyť tady nejsem," říkám, „jen jí ukažte rozvrh!" Ale paní Marie zavrtěla hlavou: „Zapřela jsem vás, ale ona nakoukla do vašeho kabinetu a uviděla tam na věšáku baloňák. A teď sedí na chodbě a čeká."

Slepá ulička je místo mých nejlepších inspirací. Řekl jsem oblíbenému posluchači:

„Buďte tak hodný a udělejte mi malou laskavost. Běžte do mého kabinetu, oblékněte si můj baloňák a odejděte v něm z budovy. Nějaká žena se vám bude snažit dokázat, že vy jste já, ale váš úkol bude, abyste to za žádnou cenu nepřipouštěl."

Posluchač odešel a vrátil se asi za čtvrt hodiny. Oznámil, že je úkol splněn, vzduch čistý a žena mimo budovu.

Pro tentokrát jsem tedy vyhrál.

Ale pak přišel pátek a Klára se odpoledne vrátila z práce, div se netřásla.

Zdvořilý pán, jenž přijímá v úhledném salónu modního závodu zákaznice, otevřel toho dne najednou dveře dozadu do dílny, kde sedí nad šicím strojem s patnácti jinými švadlenami i má Klára, a zakřičel: „Bydlíte některá na Zámecké 5?"

Klára dobře věděla, že jde o ni, protože Zámecká 5 je moje adresa. Avšak dobře osvojená opatrnost způsobila, že se nepřihlásila, neboť ví, že u mne bydlí načerno a že po tom nikomu nic není. „Vždyť jí to říkám," řekl uhlazený pán, když se žádná z šiček nepřihlásila, a zase odešel. Klára se potom dověděla, že ho nějaký přísný ženský hlas v telefonu donutil prohledat adresář zaměstnankyň a přesvědčoval ho čtvrt hodiny, že v závodě musí být zaměstnána žena ze Zámecké 5.

Stín paní Záturecké lehl na naši idylickou místnost.

„Ale jak mohla vypátrat, kde jsi zaměstnaná? Vždyť tady v baráku o tobě nikdo neví!" křičel jsem.

Ano, byl jsem opravdu přesvědčen, že o nás nikdo neví. Žil jsem jako podivín, jenž se domnívá žít nepozorovaně za vysokou hradbou, zatímco mu po celou dobu uniká jediná podrobnost: že ta hradba je z průhledného skla.

Podplácel jsem domovníka, aby nevyzradil, že u mne Klára bydlí, nutil jsem Kláru k nejobtížnější nenápadnosti a utajenosti, a zatím o ní věděl celý dům. Stačilo, že se dala kdysi do neopatrného hovoru s nájemnicí ze druhého poschodí — a vědělo se, i kde je zaměstnána.

Aniž jsme to tušili, žili jsme již dávno odhaleni. Utajeno zůstalo našim pronásledovatelům pouze Klářino jméno. To tajemství byl jediný a poslední kryt, za nímž jsme zatím unikali paní Záturecké, která zahájila svůj boj s důsledností a metodičností, z níž mne obešla hrůza.

Pochopil jsem, že jde do tuhého; že kůň mého příběhu je zatraceně osedlán.

8

To bylo v pátek. A když Klára přišla z práce v sobotu, třásla se zase. Stalo se toto:

Paní Záturecká se vypravila se svým mužem do podniku, kam den předtím telefonovala, a požádala vedoucího, aby směla s manželem navštívit dílnu a prohlédnout s ním tváře všech přítomných švadlen. Přání udivilo sice soudruha vedoucího, ale paní Záturecká se tvářila tak, že jí nebylo možno nevyhovět. Mluvila cosi temného o urážce, o zničené existenci a o soudu. Pan Záturecký stál vedle ní, mračil se a mlčel.

Byli tedy uvedeni do dílny. Švadleny zvedly lhostejně hlavu a Klára poznala malého mužíka; zbledla a rychle, s nápadnou nenápadností, pokračovala v šití.

„Prosím," pokynul vedoucí s ironickou zdvořilostí strnulé dvojici. Paní Záturecká pochopila, že se musí chopit iniciativy, a pobídla muže: „Tak se dívej!" Pan Záturecký pozvedl zamračený zrak a rozhlédl se. „Je to některá?" zeptala se šeptem paní Záturecká.

Pan Záturecký zřejmě ani přes brejličky neviděl dostatečně břitce, aby obhlédl velikou místnost, která byla ostatně dosti nepřehledná, plná navršených krámů i šatů visících z dlouhých vodorovných tyčí, s neposednými švadlenami, které neseděly pěkně čelem ke dveřím, ale všelijak: obracejíce se, poposedávajíce, vstávajíce a odvracejíce mimoděk svou tvář. Musel tedy vykročit a pokoušet se žádnou nevynechat.

Když ženy pochopily, že jsou kýmsi prohlíženy a nadto kýmsi tak nepohledným a pro ně nežádoucím, pocítily v hloubi své vnímavosti nejasný pocit potupy a začaly se tiše bouřit úsměšky i reptáním. Jedna z nich, mladá silná holka, prostořece vyprskla: „Von hledá po celý Praze tu potvoru, která ho přivedla do jinýho stavu!"

Na oba manžele se sesypal hlučný, obhroublý ženský posměch a oni v něm stáli, nesmělí i zarputilí, s jakousi podivnou důstojností.

„Paní matko," zavolala zas ta prostořeká holka na paní Zátureckou, „špatně si synáčka hlídáte! Takovýho pěknýho chlapečka bych vůbec nepouštěla z domu!"

„Dívej se dál," zašeptala paní svému muži a on, zamračeně a plaše, šel dál, krok za krokem, jako by šel uličkou hanby a ran, ale přece šel pevně a nevynechal žádnou tvář.

Vedoucí se celou tu dobu neutrálně usmíval; znal své ženské a věděl, že s nimi nic nesvede; dělal proto, že jejich povyk neslyší, a zeptal se pana Zátureckého: „A jak, prosím vás, měla ta žena vlastně vypadat?"

Pan Záturecký se otočil k vedoucímu a pomalu a vážně říkal: „Byla krásná... byla velice krásná..."

Klára se zatím krčila v koutku místnosti, odlišujíc se svým neklidem, svou sklopenou hlavou a urputnou činností od všech rozdováděných žen. Ach, jak špatně předstírala svou nenápadnost a bezvýznamnost! A pan Záturecký byl již kousek od ní a v nejbližších chvílích jí musel pohlédnout do tváře.

„To je málo, když si pamatujete jen to, že byla krásná," řekl zdvořilý vedoucí panu Zátureckému. „Krásných žen je mnoho. Byla malá nebo velká?"

„Vysoká," řekl pan Záturecký.

„Byla černá nebo blond?"

Pan Záturecký se zamyslil a řekl: „Byla blond."

Tato část příběhu mohla by sloužit jako podobenství o síle krásy. Pan Záturecký, když u mne Kláru poprvé viděl, byl tak oslněn, že ji vlastně neviděl. Krása vytvořila před ní jakousi neprůhlednou clonu. Clonu světla, za níž byla skryta jako pod závojem.

Klára totiž není ani vysoká ani blond. To jen vnitřní velikost krásy propůjčila jí v očích pana Zátureckého zdání fyzické velikosti. A svit, který krása vyzařuje, propůjčil jejím vlasům zdání zlatosti.

A tak když malý muž přistoupil posléze do rohu místnosti, kde se Klára ve svém hnědém pracovním hábitku skláněla křečovitě nad jakousi rozstříhanou sukní, nepoznal ji. Nepoznal ji, protože ji nikdy nespatřil.

9

Když Klára dopověděla nesouvisle a s malým darem srozumitelnosti tuto příhodu, řekl jsem: „Vidíš, máme štěstí."

Ale ona se na mne vzlykavě obořila: „Jaké štěstí? Nepřišli na mne dnes, přijdou na mne zítra."

„Rád bych věděl, jak."

„Přijdou si pro mne sem, k tobě."

„Nikoho sem nepustím."

„A co když na mne pošlou policii? Anebo co když uhodí na tebe a vytáhnou z tebe, kdo jsem? Mluvila o soudu, zažaluje mne pro urážku manžela."

„Prosím tě, vysměju se jim: vždyť to byl všechno žert a legrace."

„Dnes není žádná doba na legrace, dnes se všechno bere vážně; řeknou, že jsem ho chtěla úmyslně očernit. Když se na něho podívají, copak uvěří, že by mohl opravdu obtěžovat ženu?"

„Máš pravdu, Kláro," řekl jsem, „asi že tě zavřou. Ale podívej se, Karel Havlíček Borovský byl taky v kriminále, a jak daleko to dotáhl: musela ses o něm učit ve škole."

„Nekecej," řekla Klára, „víš, že to mám nahnutý, stačí, že se dostanu před trestní komisi, a mám to v posudku a z dílny se nikdy nedostanu, stejně bych ráda věděla, jak to vypadá s tím místem manekýnky, co mi slibuješ, a spát už u tebe nemůžu, vždyť bych se tady bála, kdy pro mne přijdou, pojedu dnes zase do Čelákovic."

Tak to byl jeden rozhovor.

A odpoledne téhož dne po schůzi katedry jsem měl druhý.

Vedoucí katedry, šedovlasý historik umění a moudrý muž, pozval si mne do svého kabinetu.

„Že jste si tou studií, co vám teď vyšla, moc neposloužil, to doufám víte," řekl mi.

„Ano, to vím," povídám.

„Kdekterý náš profesor to vztahuje na sebe a rektor si myslí, že to byl útok na jeho názory."

„Co se dá dělat," řekl jsem.

„Nic," řekl profesor, „ale vypršelo vám tříleté období odborné asistentury a na místo je vypsán konkurs. Bývá ovšem zvykem, že komise přiznává vítězství tomu, kdo už na škole učil, ale jste si tak jist, že se tento zvyk potvrdí i ve vašem případě? Ale o tom jsem mluvit nechtěl. Pro vás zatím mluvilo vždycky to, že jste poctivě přednášel, byl jste u posluchačů oblíben a něco jste je naučil. Jenomže ani o to se teď nemůžete opřít. Rektor mi sdělil, že jste už čtvrt roku vůbec nepřednášel. A docela bez omluvy. Vždyť to samo by stačilo, abyste dostal okamžitou výpověď."

Vysvětloval jsem profesorovi, že jsem nevynechal ani jedinou přednášku, že to všechno byla jenom legrace, a vyprávěl jsem mu celou historii o panu Zátureckém a Kláře.

„Dobrá, já vám věřím," řekl profesor, „ale co na tom záleží, že já vám věřím? Dnes si o tom vykládá celá škola, že nepřednášíte a nic neděláte. Už se o tom jednalo v závodní radě a včera s tím přišli na rektorské kolegium."

„Ale proč o tom nejdřív nemluvili se mnou?"

„O čem s vámi mají mluvit? Všechno je jim jasné. Teď už se jenom dívají zpět na celé vaše působení na fakultě a hledají souvislost mezi vaší minulostí a vaší přítomností."

„Co mohou najít špatného na mé minulosti? Vy víte sám, jak mám rád svou práci! Nikdy jsem se neulejval! Mám čisté svědomí."

„Každý lidský život je velmi mnohoznačný," řekl profesor. „Minulost každého z nás je možno stejně dobře upravit v životopis milovaného státníka jako v životopis zločince. Jen se podívejte pořádně sám na sebe. Nikdo vám nebere, že jste měl rád svou práci. Ale nebylo vás příliš vidět na schůzích, a když jste i přišel, většinou jste mlčel. Nikdo nevěděl dost dobře, co si vlastně myslíte. Sám si pamatuju, že několikrát, když šlo o vážné věci, řekl jste zničehonic žert, který vzbudil rozpaky. Ty rozpaky byly ovšem hned pozapomenuty, ale dnes, vyloveny z minulosti, nabývají náhle přesného smyslu. Nebo si vzpomeňte, jak vás na fakultě sháněly různé ženy a jak jste se dával před nimi zapírat. Anebo vaše poslední stať, o níž kdokoli, komu se zachce, může tvrdit, že je psána z podezřelých pozic. To všechno jsou ovšem jednotlivosti; ale stačí je osvětlit vaším dnešním, přítomným deliktem, aby se náhle spojily v celek výmluvně svědčící o vašem charakteru a vašem postoji."

„Ale jakýpak delikt," křičel jsem. „Vyložím přede všemi věci tak, jak se odehrály: jsou-li lidé lidmi, musí se tomu přece smát."

„Jak myslíte. Ale poznáte, že buď lidé nejsou lidmi, anebo že jste nevěděl, co lidé jsou. Nebudou se smát. Vyložíte-li jim všechno, jak se seběhlo, ukáže se pak, že jste nejenom neplnil své povinnosti, jak vám je předpisoval rozvrh, že jste tedy nedělal, co dělat máte, ale že jste ještě navíc přednášel načerno, to jest, že jste dělal, co dělat nemáte. Ukáže se, že jste urážel jakéhosi člověka, který vás žádal o pomoc. Ukáže se, že nemáte v pořádku své soukromí, že u vás bydlí nepřihlášená nějaká mladá dívka, což bude působit velmi nepříznivě na předsedkyni závodní rady. Věc se rozmaže a kdoví jaké z ní ještě vzniknou další pověsti, které přijdou zajisté velmi vhod všem těm, které popuzují vaše názory, ale stydí se útočit na vás kvůli nim."

Věděl jsem, že mne profesor nechce ani strašit, ani obelhávat, avšak považoval jsem ho za podivína a nechtěl jsem se poddat jeho skepticismu. Aféra s panem Zátureckým mi zalézala za nehty, ale neunavila mne dosud. Vždyť já sám jsem toho koně osedlal; nemohu tedy dopustit, aby mi vytrhl opratě z rukou a unášel mne, kam se mu zachce. Byl jsem připraven svést s ním zápas.

A kůň se zápasu nevyhýbal. Když jsem přišel domů, čekalo mne tam ve schránce předvolání na schůzi uličního výboru.

10

Uliční výbor zasedal v jakémsi bývalém krámku kolem dlouhého stolu. Prošedivělý muž s brejličkami a ustupující bradou mi ukázal na židli. Řekl jsem děkuju, posadil jsem se a tentýž muž se ujal slova. Oznámil mi, že uliční výbor mne sleduje již delší dobu, že vědí velmi dobře o tom, že mám neuspořádaný soukromý život; že to nepůsobí dobrým dojmem na mé okolí; že si nájemníci z mého činžáku už jednou na mne stěžovali, když nemohli spát celou noc pro hluk v mém bytě; že to všechno stačí, aby si o mně udělal uliční výbor patřičný obraz. A že nyní k dovršení všeho obrátila se na ně o pomoc soudružka Zátürecká, žena vědeckého pracovníka. Že jsem měl o jeho vědeckém díle napsat už před půl rokem recenzi a že jsem to neudělal, i když jsem dobře věděl, že na mém posudku závisel osud zmíněného díla.

„Jaképak vědecké dílo!“ přerušil jsem muže s malou bradou. „Je to slátanina opsaných myšlenek.“

„To je zajímavé, soudruhu,“ vmísila se teď do řeči mondénně oblečená asi třicetiletá blondýna, na jejíž tváři byl (patrně jednou provždy) nalepen rozzářený úsměv. „Dovolte mi otázku: Jaký je váš obor?“

„Jsem výtvarný teoretik.“

„A soudruh Záturecký?“

„Nevím. Snad se pokouší o něco podobného.“

„Vidíte,“ obrátila se blondýna nadšeně k ostatním, „soudruh vidí v pracovníku stejného oboru nikoli soudruha, ale svou konkurenci.“

„Budu pokračovat,“ řekl muž s ustupující bradou, „soudružka Zátureckâ nám řekla, že její manžel vás navštívil v bytě a že se tam setkal s nějakou ženou. Ta prý ho potom u vás osočila, že ji chtěl pan Záturecký pohlavně obtěžovat. Soudružka Záturecká má ovšem po ruce doklady o tom, že její manžel není ničeho podobného schopen. Chce znát jméno té ženy, která jejího manžela nařkla, a předat věc trestní komisi národního výboru, neboť falešné nařčení znamenalo pro jejího manžela existenční poškození.“

Pokusil jsem se přece jen ještě ulomit téhle směšné aféře její nepřiměřený hrot: „Podívejte se, soudruzi,“ říkám, „vždyť to celé vůbec nestojí za to. O žádné existenční poškození přece nejde. Ta práce je tak slabá, že bych ji stejně já ani nikdo jiný doporučit nemohl. A jestli došlo mezi tou ženou a panem Zátureckým k nějakému nedorozumění, tak k tomu snad není zapotřebí svolávat schůze.“

„O našich schůzích nebudeš, soudruhu, naštěstí rozhodovat ty,“ odpověděl mi muž s ustupující bradou. „A když teď tvrdíš, že je práce soudruha Zátureckého špatná, tak na to se musíme dívat jako na mstu. Soudružka Záturecká nám dala přečíst dopis, který jsi jejímu manželovi napsal po přečtení jeho práce.“

„Ano. Jenomže v tom dopise neříkám ani slovo o tom, jaká ta práce je.“

„To je pravda. Ale píšeš, že bys mu rád pomohl; z tvého dopisu jasně vyplývá, že si práce soudruha Zátureckého vážíš. A teď prohlašuješ, že je to slátanina. Proč jsi mu to tedy nenapsal už tehdy? Proč jsi mu to neřekl do očí?"

„Soudruh má dvojí tvář," řekla blondýna.

V té chvíli se do rozhovoru vmísila starší žena s trvalou ondulací; přešla rázem k jádru věci: „My bychom potřebovali, soudruhu, od tebe vědět, kdo byla ta žena, s kterou se u tebe pan Záturecký potkal."

Pochopil jsem, že není patrně v mých silách odejmout celé té aféře její nesmyslnou závažnost a že mi zbývá jen jediné: zmást stopu, odlákat je od Kláry, odvést je od ní, jako koroptev odvádí honicího psa od svého hnízda nabízejíc své tělo za těla svých mláďat.

„To je zlá věc, já si to jméno nepamatuju," řekl jsem.

„Copak ty si nepamatuješ jméno ženy, s kterou žiješ?" otázala se žena s ondulací.

„Vy máte, soudruhu, asi vzorný poměr k ženám," řekla blondýna.

„Možná, že bych si vzpomněl, ale musel bych přemýšlet. Nevíte, kdy to bylo, jak mne pan Záturecký navštívil?"

„To bylo, prosím," podíval se muž s ustupující bradou do svých papírů, „čtrnáctého ve středu odpoledne."

„Ve středu... čtrnáctého... počkejte..." dal jsem si hlavu do dlaní a zamyslil jsem se: „Tak to už si vzpomínám. To byla Helena." Viděl jsem, jak všichni visí napjatě na mých rtech.

„Helena — jak dál?"

„Jak dál? To bohužel nevím. Nechtěl jsem se jí na to ptát. Vlastně, upřímně řečeno, nejsem si ani jist, jestli se jmenovala Helena. Říkal jsem jí tak proto, že její manžel se mi zdál být zrzavý jako Meneláos. To bylo v úterý večer, když jsem ji poznal v jedné vinárně a podařilo se mi s ní chvíli mluvit, když její Meneláos šel k pultu vypít koňak. Další den za mnou přišla a byla u mne celé odpoledne. Jenom jsem ji musel kvečeru na dvě hodiny opustit, protože jsem měl na fakultě schůzi. Když jsem se vrátil, byla znechucena, že ji jakýsi mužík obtěžoval, myslela si, že jsem s ním byl domluven, urazila se a nechtěla mne už dále znát. A tak, vidíte, nestačil jsem se už ani dovědět její pravé jméno."

„Soudruhu, ať je to pravda nebo ne, co říkáte," povídala blondýna, „zdá se mi být naprosto nepochopitelné, jak vy můžete vychovávat naši mládež. Copak vás náš život opravdu neinspiruje k ničemu jinému než k pitkám a zneužívání žen? Buďte si jist, že o tom na patřičných místech řekneme svůj názor."

„Domovník nic o žádné Heleně neříkal," zasáhla teď starší žena s ondulací. „Ale informoval nás, že je tam u tebe už měsíc nepřihlášená nějaká holka z módních závodů. Nezapomeň, soudruhu, že jsi v podnájmu! Jak si to představuješ, aby u tebe takhle kdosi bydlel? Myslíš si, že váš dům je bordel? Jestli nám nechceš říct její jméno ty, ona si to už Bezpečnost zjistí."

11

Půda mi ujížděla jak se patří pod nohama. Ovzduší nepřízně, o němž mi pověděl profesor, začínal jsem na fakultě už sám cítit. Nikdo mne sice zatím nepředvolával k žádnému pohovoru, ale tu a tam jsem zaslechl narážku a tu a tam mi něco soucitně prozradila paní Marie, v jejíž kanceláři pili pedagogové kávu a nedávali si pozor na ústa. Za pár dnů se měla sejít konkursní komise, která teď shromažďovala ze všech možných stran posudky; představoval jsem si, jak její členové čtou zprávu uliční organizace, zprávu, o níž vím jen to, že je tajná a že k ní nemohu nic říct.

Jsou chvíle v životě, kdy člověk musí ustupovat. Kdy musí vzdávat méně důležité pozice, aby zachránil důležitější. Zdálo se mi, že tou poslední a nejdůležitější pozicí je moje láska. Ano, v těch pohnutých dnech jsem si náhle začal uvědomovat, že miluji svou švadlenku a že na ní lpím.

Toho dne jsem se s ní setkal u muzea. Ne, doma ne. Copak byl domov ještě vůbec domovem? Je domovem místnost ze skleněných stěn? Místnost střežená dalekohledy? Místnost, kde musíte přechovávat tu, kterou milujete, opatrněji než kontraband?

Doma nebylo doma. Měli jsme tam pocit kohosi, kdo se vloupal na cizí území a může tam být každou chvíli dopaden, znervózňovaly nás kroky na chodbě, čekali jsme pořád, že bude někdo klepat na dveře a bude vytrvalý. Klára dojížděla zase do Čelákovic a v tom našem zcizeném domově jsme neměli chuť se scházet už ani dočasně. Proto jsem poprosil kamaráda malíře, aby mi půjčoval na večer ateliér. Toho dne jsem poprvé dostal klíč.

A tak jsme se ocitli pod jednou vysokou vinohradskou střechou, ve velikánské místnosti s jediným malým gaučem a rozhlehlým šikmým oknem, z něhož bylo vidět celou večerní Prahu; uprostřed spousty obrazů opřených o stěny, uprostřed nepořádku a bezstarostné malířské špíny vrátily se mi rázem staré pocity blažené svobody. Rozvalil jsem se na gauči, vrazil vývrtku do zátky a otvíral láhev vína. Klábosil jsem volně a vesele a těšil se na krásný večer i noc.

Jenomže tíseň, která tu spadla ze mne, dopadla plnou vahou na Kláru.

Zmínil jsem se již o tom, jak Klára beze všech skrupulí, ba s největší přirozeností se zabydlila kdysi v mé mansardě. Avšak nyní, když jsme se octli na chvíli v cizím ateliéru, cítila se nesvá. Víc než nesvá. „Ponižuje mne to," řekla mi.

„Co tě ponižuje?" ptal jsem se jí.

„Že jsme si museli vypůjčit byt."

„Proč tě to ponižuje, že jsme si museli vypůjčit byt?"

„Protože je v tom cosi ponižujícího," odpověděla.

„Nic jiného jsme přece nemohli dělat."

„Ano," odpověděla, „ale v půjčeném bytě si připadám jak lehká holka."

„Proboha, proč by sis měla připadat jak lehká holka právě v *půjčeném* bytě, lehké holky provádějí svou činnost většinou ve svých a ne v půjčených bytech —"

Bylo marné útočit rozumem na pevnou hradbu iracionálních pocitů, z nichž je prý uhnětena duše ženy. Náš rozhovor dostal hned od počátku špatné předznamenání.

Říkal jsem tehdy Kláře, co mi pověděl profesor, říkal jsem jí, co bylo na uličním výboru, a přesvědčoval jsem ji, že nakonec nade vším zvítězíme, budeme-li se mít rádi a budeme-li spolu.

Klára chvíli mlčela a pak řekla, že jsem si sám vším vinen. „Budeš mne moci aspoň dostat od těch švadlen?“

Řekl jsem jí, že teď bude možná muset mít chvíli strpení.

„Vidíš,“ řekla Klára, „to byly samé sliby a nakonec neuděláš nic. A sama se odtud nedostanu, ani kdyby mi chtěl někdo jiný pomoci, protože budu mít tvou vinou zkažený posudek.“

Dal jsem Kláře slovo, že příhoda s panem Zátureckým jí nesmí ublížit.

„Já stejně nechápu,“ řekla Klára, „proč tu recenzi nenapíšeš. Kdybys ji napsal, byl by hned pokoj.“

„Už je pozdě, Kláro,“ řekl jsem. „Když tu recenzi napíšu, řeknou, že tu práci odsuzuju ze msty, a stanou se ještě zuřivější.“

„A proč bys ji musel odsuzovat? Tak napiš kladný posudek!“

„To nemůžu, Kláro. Ta práce je přece úplně nemožná.“

„No a? Proč děláš najednou pravdomluvného? Copak to nebyla lež, když jsi tomu mužíkovi napsal, že na tebe ve Výtvarné myšlence nic nedají? A to nebyla lež, když jsi mu řekl, že mne tu chtěl svést? A to nebyla lež, když sis vymyslel tu Helenu? Tak když už jsi toho tolik nalhal, co ti to udělá, když zalžeš ještě jednou a pochválíš ho v posudku? Jenom tak to můžeš urovnat.“

„Vidíš, Kláro,“ řekl jsem. „Ty si myslíš, že lež je jako lež, a zdálo by se, že máš pravdu. A nemáš. Mohu si cokoli vymýšlet, dělat si z lidí blázny, provádět mystifikace a uličnictví — a nemám pocit lháře a nemám špatné svědomí; ty lži, chceš-li jim tak říkat, to jsem já sám, takový, jaký jsem, takovou lží nepředstírám, takovou lží mluvím vlastně pravdu. Ale jsou věci, o nichž lhát nemohu. Jsou věci, do nichž jsem pronikl, jejichž smysl jsem pochopil, které miluju a beru vážně. A tam se žertovat nedá. Tam kdybych lhal, potupil bych sám sebe, a to nejde, to po mně nechtěj, to neudělám.“

Nerozuměli jsme si.

Ale já jsem Kláru opravdu miloval a byl jsem rozhodnut udělat vše, aby mi nemusela vyčítat. Napsal jsem příštího dne dopis paní Záturecké. Že ji očekávám pozítří ve dvě hodiny ve svém kabinetě.

12

Věrna své úžasné metodičnosti, zaklepala paní Záturecká na minutu přesně ve stanovenou dobu. Otevřel jsem dveře a zval ji dál.

Konečně jsem ji tedy spatřil. Byla to vysoká žena, velice vysoká, s velikou hubenou venkovskou tváří, z níž se dívaly bledé modré oči. „Odložte si," řekl jsem a ona si svlékala neobratnými pohyby jakýsi dlouhý tmavý kabát, v pasu zúžený a podivně střižený, kabát, který mi bůhví proč vyvolával představu starodávných vojenských plášťů.

Nechtěl jsem útočit první; chtěl jsem, aby nejdřív vyložil karty soupeř. Když paní Záturecká usedla, přiměl jsem ji po několika větách k řeči.

„Vy víte, proč jsem vás hledala," řekla vážným hlasem a bez jakékoli útočnosti. „Můj manžel si vás vždycky velice vážil jako odborníka a charakterního člověka. Všechno záleželo na vaší recenzi. A vy jste mu ji nechtěl dát. Můj manžel tu práci psal celé tři roky. On to měl v životě těžší než vy. Byl učitel, dojížděl denně třicet kilometrů za Prahu. Sama jsem ho vloni donutila, aby toho nechal a věnoval se jenom vědě."

„Pan Zátureckký není zaměstnán?" zeptal jsem se.

„Ne..."

„A z čeho žijete?"

„Musím to zatím táhnout sama. Ta věda, to je manželova vášeň. Kdybyste věděl, co on všechno prostudoval. Kdybyste věděl, co popsal listů. Říká vždycky, že skutečný vědec musí napsat tři sta stran, aby mu z nich zbylo třicet. A pak do toho přišla ta ženská. Věřte mi, vždyť já ho znám, on by to určitě neudělal, to, z čeho ho ta ženská nařkla, tomu já nevěřím, ať to řekne přede mnou a před ním!

Já znám ženské, možná, že vás má ráda a vy ji rád nemáte. Možná, že chtěla vzbudit ve vás žárlivost. Ale to mi můžete věřit, můj manžel by se nikdy neopovážil!"

Poslouchal jsem paní Zátureckou a najednou se děla se mnou zvláštní věc: přestával jsem vědět, že je to ta žena, kvůli níž budu muset opustit fakultu, že je to ta žena, kvůli níž padl stín mezi mne a Kláru, ta žena, kvůli které jsem ztratil tolik dnů ve zlosti a nepříjemnostech. Souvislost mezi ní a příběhem, v němž jsme teď oba hráli jakousi smutnou roli, zdála se mi být náhle nejasná, volná, nahodilá, nezaviněná. Najednou jsem chápal, že je to jen moje iluze, když jsem si myslel, že si sami osedláváme příběhy a řídíme jejich běh; že to možná vůbec nejsou *naše* příběhy, že jsou nám spíš odkudsi *zvnějšku* podsunuty; že nás nikterak necharakterizují; že nemůžeme za jejich prapodivnou dráhu; že nás unášejí jsouce odkudsi řízeny jakýmisi *cizími* silami.

Ostatně když jsem se díval do očí paní Záturecké, zdálo se mi, že ty oči nemohou vidět na konec činů, zdálo se mi, že se ty oči vůbec nedívají; že jí jen tak plovou po tváři; že jenom tkvějí.

„Snad máte pravdu, paní Zátureckå," řekl jsem smířlivě. „Možná, že ta dívka opravdu nemluvila pravdu, ale znáte to, když je muž žárlivec; uvěřil jsem jí a ujely mi trochu nervy. To se stane každému."

„Ano, to víte, že ano," řekla paní Zátureckå a bylo vidět, že jí spadl kámen ze srdce. „Když to sám uznáváte, tak je dobře. My jsme se báli, že jí věříte. Vždyť by ta žena mohla zkazit mému manželovi celý život. Nemluvím o tom, jaké to vrhá na něho morální světlo. To už bychom nějak skousli. Ale od vašeho posudku slibuje si můj manžel všechno. V redakci ho ujistili, že záleží pouze na vás. Můj manžel je přesvědčen, že kdyby byla jeho stať otištěna, byl by konečně uznán jako vědecký pracovník. Prosím vás, když se to tedy všechno objasnilo, napíšete mu ten posudek? A může to být rychle?"

Teď přišla chvíle pomstít se za všechno a ukojit svůj vztek, jenomže já jsem v té chvíli žádný vztek necítil, a to, co jsem teď řekl, řekl jsem jen proto, že nebylo vyhnutí: „Paní Zátureckå, s tím posudkem je potíž. Přiznám se vám, jak to všechno bylo. Já nerad říkám lidem do očí nepříjemné věci. Je to moje slabost. Schovával jsem se před panem Zátureckým a myslel jsem si, že si domyslí, proč se mu vyhýbám. Jeho práce je totiž slabá. Nemá žádnou vědeckou cenu. Věříte mi?"

„To vám těžko mohu věřit. To vám nemohu věřit," řekla paní Záturecká.

„Ta práce je především docela nepůvodní. Rozumějte, vědec musí vždycky na něco nového přijít; vědec nemůže opsat jen to, co už je známé, co napsali jiní."

„Můj manžel tu práci určitě neopsal."

„Paní Záturecká, vy jste tu práci jistě četla..." chtěl jsem pokračovat, ale paní Záturecká mne přerušila.

„Ne, nečetla."

Byl jsem překvapen. „Tak si ji přečtěte."

„Já špatně vidím," řekla paní Záturecká, „už pět let jsem nepřečetla ani řádek, ale já nepotřebuju číst, abych věděla, jestli je můj muž poctivý nebo ne. To se pozná jinak než čtením. Já svého muže znám jako matka dítě, já o něm vím všechno. A já vím, že co on dělá, je vždycky poctivé."

Musel jsem podstoupit nejhorší. Předčítal jsem paní Záturecké odstavce ze stati jejího manžela a k tomu jsem jí četl příslušné odstavce z různých autorů, od nichž pan Záturecký přejímal myšlenky a formulace. Ovšem že se nejednalo o vědomý plagiát, šlo spíš o bezděčnou poplatnost autoritám, k nimž pan Záturecký pociťoval neskonalou úctu. Ale každý, kdo by slyšel srovnávané pasáže, musil by pochopit, že tu práci nemůže otisknout žádný vážný vědecký žurnál.

Nevím, nakolik se paní Záturecká soustřeďovala na můj výklad, nakolik ho sledovala a rozuměla mu, ale seděla pokorně v křesle, pokorně a poslušně jako voják, který ví, že nesmí odejít ze svého stanoviště. Trvalo mi to asi půl hodiny, než jsme skončili. Paní Záturecká vstala z křesla, utkvěla na mně svýma průhlednýma očima a žádala mne bezbarvým hlasem o prominutí; ale já jsem věděl, že neztratila víru ve svého muže, a jestli někomu něco vyčítala, tak jenom sobě, že nedovedla čelit mým argumentům, které jí připadaly temné a nesrozumitelné. Oblékla si svůj vojenský plášť a já jsem pochopil, že tato žena je voják, smutný voják unavený dlouhými pochody, voják, který není s to chápat smysl rozkazů, a přece je bude vždycky bez odmluv plnit, voják, který teď odchází poražen, ale bez poskvrny.

13

„Tak a teď už se nemusíš ničeho bát," řekl jsem Kláře, když jsem jí v Dalmatské vinárně zopakoval svůj rozhovor s paní Zátureckou.

„Já jsem se přece neměla čeho bát," odpověděla Klára se sebejistotou, jež mne udivila.

„Jak to, že ne? Nebýt tebe, nebyl bych se s paní Zátureckou vůbec scházel!"

„Že ses s ní sešel, to je dobře, protože to, cos jim udělal, bylo trapné. Doktor Kalousek říkal, že to inteligentní člověk může těžko pochopit."

„Ty ses setkala s Kalouskem?"

„Setkala," řekla Klára.

„A tys mu všechno vyprávěla?"

„No a? Je to snad tajemství? Já dnes moc dobře vím, co jsi."

„Hm."

„Mám ti říct, co jsi?"

„Prosím."

„Stereotypní cynik."

„To máš od Kalouska."

„Proč od Kalouska? Myslíš, že si to nemůžu vymyslet sama? Ty si vůbec o mně myslíš, že tě neumím odhadnout. Ty rád taháš lidi za nos. Panu Zátureckému jsi sliboval posudek —"

„Já jsem mu nesliboval posudek!"

„To je jedno. A mně jsi sliboval místo. Panu Zátureckému ses vymluvil na mě a mně ses vymluvil na pana Zátureckého. Ale abys věděl, to místo mít budu.“

„Od Kalouska?“ snažil jsem se být uštěpačný.

„Od tebe ne! Ty to máš všude tak prohraný, že to sám ani nevíš.“

„A ty to víš?“

„Vím. Ten konkurs nevyhraješ a budeš rád, když tě přijmou v nějaké venkovské galerii jako úředníka. Ale musíš si uvědomit, že to všechno byla jenom tvoje vlastní chyba. Jestli ti můžu dát radu, tak buď příště poctivý a nikdy nelži, protože člověka, který lže, si žádná žena nemůže vážit.“

Pak vstala, podala mi (zřejmě naposledy) ruku, obrátila se a odešla.

Teprve po chvíli mi došlo, že (navzdory mrazivému tichu, jež mne obklopilo) není můj příběh z rodu tragických, nýbrž spíš komických příběhů.

Poskytlo mi to jakousi útěchu.

ZLATÉ JABLKO VĚČNÉ TOUHY

ZLATÉ JABLKO VĚČNÉ TOUHY

...nevědí, že vyhledávají jen hon
a nikoli kořist.
(Blaise Pascal)

MARTIN

Martin umí, co neumím já. Zastavit kteroukoli ženu na kterékoli ulici. Musím říci, že za tu dlouhou dobu, co se s Martinem znám, jsem z této jeho schopnosti značně těžil, neboť nemám ženy o nic méně rád než on, ale nedostává se mi jeho střemhlavé drzosti. Zatímco naopak chybou Martinovou bývalo, že samo tak řečené *zatýkání* ženy stávalo se někdy pro něho samoúčelnou virtuozitou, na níž velmi často přestával. Říkával proto ne bez jisté trpkosti, že se podobá útočníku, který nezištně nahrává jisté míče svému spoluhráči, jenž pak střílí laciné branky a sklízí lacinou slávu.

V pondělí tohoto týdne odpoledne po práci jsem na něho čekal v kavárně na Václaváku, dívaje se přitom do tlusté německé knihy pojednávající o staré etruské kultuře. Trvalo to několik měsíců, než mi univerzitní knihovna zprostředkovala její vypůjčení z Německa, a když jsem ji onoho dne konečně dostal, odnášel jsem si ji s sebou jako relikvii a byl jsem vlastně docela rád, že mě Martin nechává na sebe čekat a že mohu vytouženou knihou na kavárenském stolku listovat.

Kdykoli pomyslím na staré antické kultury, pojme mě stesk. Snad je to kromě jiného i teskná závist nad tou unyle sladkou pomalostí tehdejší historie; epocha staré egyptské kultury trvala několik tisíc let; epocha řecké antiky skoro celé tisíciletí. V tomto směru napodobuje jednotlivý lidský život lidské dějiny; zpočátku je ponořen do nehybné pomalosti a teprve pak se zvolna a čím dál více zrychluje. Martinovi bylo právě před dvěma měsíci čtyřicet let.

PŘÍBĚH ZAČÍNÁ

Byl to on, kdo mi přerušil mé zamyšlení. Objevil se náhle ve skleněných dveřích kavárny a mířil ke mně, dělaje výrazné posunky a grimasy směrem k jednomu stolku, u něhož nad šálkem kávy čněla žena. Nepřestávaje se na ni dívat, přisedl ke mně a řekl: „Co tomu říkáš?"

Cítil jsem se zahanben; byl jsem opravdu tak zahleděn do svého tlustospisu, že jsem si dívky všiml teprve teď; musel jsem uznat, že je pěkná. A v téže chvíli napřímila dívka poprsí a zavolala na pána s černým motýlkem, že chce platit.

„Zaplať taky!" rozkázal Martin.

Už jsme si mysleli, že budeme musit za dívkou utíkat, ale naštěstí se ještě zdržela u šatny. Nechala si tam nákupní tašku a šatnářka ji musela chvíli odkudsi lovit, než ji položila před dívku na pult. Dívka podala šatnářce pár desetníků a v té chvíli mi Martin vytrhl z rukou mou německou knihu.

„Dáme si to raději sem," řekl s bravurní samozřejmostí a vsouval knihu pečlivě do dívčiny tašky. Dívka se zatvářila udiveně, ale nevěděla, co má říci.

„V ruce se to špatně nese," řekl ještě Martin, a když dívka chtěla tašku sama nést, vynadal mi, že se neumím chovat.

Slečna byla zdravotní sestra z venkovské nemocnice, stavila se v Praze prý jen tak na skok a spěchala na Florenc na autobus. Stačil malý kus cesty k zastávce tramvaje, abychom si pověděli všechno podstatné a abychom se domluvili, že v sobotu přijedeme do B. za touto roztomilou slečnou, která, jak Martin významně podotkl, bude mít jistě nějakou pěknou kolegyni.

Tramvaj přijížděla, podal jsem slečně tašku a ona z ní chtěla vytáhnout knihu; ale Martin tomu zabránil velkorysým gestem; že prý si pro ni v sobotu přijedeme, ať si v ní slečna zatím říká. Slečna se rozpačitě smála, tramvaj ji unášela a my jsme mávali.

Co naplat, kniha, na kterou jsem se tak dlouho těšil, octla se náhle v nejistých dálkách; když se to tak vezme, bylo to dost mrzuté; ale jakási ztřeštěnost mě přes to na pohotově zřízených křídlech šťastně přenášela. Martin okamžitě přemýšlel, jak se bude moci na sobotní odpoledne a noc vymluvit u své mladičké ženy (neboť je tomu vskutku tak: má doma mladou ženu; a co hůř: miluje ji; a co ještě hůř: bojí se jí; a co ještě mnohem hůř: bojí se *o* ni).

ÚSPĚŠNÁ REGISTRÁŽ

Vypůjčil jsem si pro naši výpravu za malou úplatu pěkný fiat a v sobotu ve dvě hodiny předjel jsem před Martinův byt; Martin už čekal a vyjeli jsme. Byl červenec a strašné vedro.

Chtěli jsme být v B. co nejdříve, ale když jsme viděli v jedné vesnici, kterou jsme projížděli, dva mladíky, jen v trenkách a s výmluvně mokrými vlasy, zastavil jsem auto. Rybník byl opravdu nedaleko, pár kroků odtud, za humny. Neumím už spát, jako jsem kdysi uměl, poslední noc jsem se převaloval kvůli bůhvíjakým starostem až do tří hodin, potřeboval jsem osvěžení; Martin byl také pro.

Převlékli jsme se do plavek a skočili do vody. Ponořil jsem se pod vodu a plaval rychle k druhému břehu. Zato Martin se jen tak namočil, opláchl a zase vylezl. Když jsem se proplaval a vrátil se zase na břeh, spatřil jsem ho ve stavu upřeného zaujetí. Na břehu vřískal houf děcek, kdesi opodál si hrála s míčem místní mládež, ale Martin se upíral k statné postavičce děvčete, které stálo asi patnáct metrů od nás, zády k nám, a celkem bez pohnutí pozorovalo vodu.

„Dívej se," řekl Martin.

„Dívám se."

„A co říkáš?"

„Co bych měl říkat?"

„Tomu ty nevíš, co bys měl říkat?"

„Musíme počkat, až se otočí," mínil jsem.

„Vůbec nemusíme čekat, až se otočí. To, co mi ukazuje z této strany, mi docela stačí."

„No dobře," namítl jsem, „ale nemáme bohužel čas s tím něco podnikat."

„Aspoň registrovat, registrovat!" řekl Martin a obrátil se k jakémusi chlapečkovi, který se opodál oblékal do trenek: „Chlapečku, prosím tě, nevíš, jak se jmenuje tamta holka?" a ukázal na dívčinu, která v nějaké divné apatii setrvávala stále ve svém postoji.

„Tamta?"

„Jo, tamta."

„Ta není vocáď," řekl chlapeček.

Martin se obrátil na holčičku asi dvanáctiletou, která se slunila hned vedle:

„Holčičko, nevíš, kdo je tamta holka, co stojí na břehu?"

Holčička se poslušně vztyčila: „Tamta?"

„Jo, tamta."

„To je Manka..."

„Manka? A jak dál?"

„Manka Pánků... z Traplic..."

A dívka stála pořád nad vodou zády k nám. Teď se sehnula pro koupací čepici, a když se zase napřímila, nasazujíc si ji na vlasy, byl už Martin u mne a řekl: „Je to nějaká Manka Pánků z Traplic. Můžeme jet."

Byl zcela uklidněn, spokojen a nemyslel už zřejmě než na další cestu.

TROCHU TEORIE

Tomu říká Martin *registráž*. Vychází ze svých bohatých zkušeností, které ho dovedly k názoru, že není ani tak obtížné dívku *svést*, jako je obtížné, máme-li v tomto směru vysoké kvantitativní nároky, *znát* vždy dost dívek, jež jsme dosud nesvedli.

Proto tvrdí, že je třeba stále, kdekoli a při každé příležitosti provádět širokou registráž, tj. zapisovat si do zápisníku či do paměti jména žen, jež nás zaujaly a jež bychom mohli jednou *kontaktovat.*

Kontaktáž, to je pak už vyšší stupeň činnosti a znamená, že s určitou ženou vejdeme ve styk, seznámíme se s ní, otevřeme si k ní přístup.

Kdo se rád chlubně ohlíží zpět, klade důraz na jména žen *pomilovaných*; ale kdo se dívá vpřed, do budoucnosti, musí se starat především o to, aby měl dostatek žen *registrovaných* a *kontaktovaných*. Nad kontaktáží existuje totiž už jen jediný, poslední stupeň činnosti, a já rád podotýkám, abych se zavděčil Martinovi, že ti, kteří nejdou za ničím než za tímto posledním stupněm, jsou mizerní a primitivní mužové, kteří mi připomínají vesnické fotbalisty, hrnoucí se bezhlavě na branku soupeře a zapomínající, že ke gólu (a mnoha dalším gólům) nevede jen zbrklá chuť střílet, ale především důkladná a poctivá hra v poli.

„Myslíš, že se za ní do těch Traplic někdy dostaneš?" zeptal jsem se Martina, když jsme zase jeli.

„Nikdo nemůže vědět..." řekl Martin.

„Každopádně," řekl jsem zase já, „den nám začíná šťastně."

HRA A NUTNOST

Dorazili jsme k nemocnici v B. ve výborné náladě. Bylo asi půl čtvrté. Vyvolali jsme si naši sestru telefonem do vrátnice. Za chvíli přišla dolů v nemocniční čepici a v bílém plášti; všiml jsem si, že zčervenala, a považoval jsem to za dobré znamení.

Martin se ujal pohotově slova a dívka nám oznámila, že jí v sedm skončí služba a že ji tedy v tu dobu máme čekat před nemocnicí.

„Se slečnou kolegyní jste již jednala?" zeptal se Martin a dívka kývla hlavou:

„Přijdeme dvě."

„Dobře," řekl Martin, „ale nemůžeme tady pana kolegu stavět před hotovou věc, kterou nezná."

„Tak dobře," řekla dívka, „můžem se na ni podívat; Božena je na interně."

Šli jsme pomalu přes nemocniční dvůr a já jsem nesměle řekl: „Jestlipak máte ještě tu tlustou knihu?"

Sestřička kývla hlavou, že prý ji má, a dokonce tady v nemocnici.

Spadl mi kámen ze srdce a postavil jsem si hlavu, že musíme jít nejdříve pro ni.

Martinovi se ovšem zdálo nevhodné, že dávám tak nepokrytě přednost knize před ženou, jež mi má být předvedena, ale nemohl jsem si nijak pomoci.

Přiznám se totiž, že jsem velice trpěl těch několik dnů, kdy byl spis o kultuře Etrusků mimo můj dohled. A byla to jen veliká sebekázeň, jestliže jsem to strpěl bez pohnutí brvy, nechtěje za žádných okolností pokazit Hru, což je pro mne hodnota, kterou jsem se od mládí učil ctít a podřizovat jí veškeré své osobní zájmy.

Mezitím co jsem se dojatě shledával se svou knihou, pokračoval Martin v konverzaci se sestřičkou a dosáhl již toho, že dívka slíbila vypůjčit na večer od svého kolegy chatu u nedalekého Hoterského rybníka. Byli jsme všichni navýsost spokojeni, a dali jsme se tedy konečně přes nemocniční dvůr k malé zelené budově, kde byla interna.

Proti nám šla právě nějaká sestra s lékařem. Ten lékař byl směšný dlouhán s odstávajícíma ušima, což mě upoutalo, tím spíš, že naše sestra do mne v té chvíli dloubla: uchechtl jsem se. Když nás minuli, otočil se ke mně Martin: „Teda ty máš štěstí, kluku. Tak nádhernou slečnu si vůbec nezasloužíš.“

Styděl jsem se říci, že jsem se díval jen na dlouhána, a vyslovil jsem tedy pochvalu. Nebylo v tom ode mne ostatně žádné pokrytectví. Věřím totiž Martinovu vkusu víc než svému, protože vím, že jeho vkus je podepřen mnohem větším *zájmem* než můj. Mám rád objektivitu a řád ve všem, i ve věcech milování, a dám tedy víc na znalce než na diletanta.

Někdo by mohl považovat za pokrytectví, nazývám-li se diletantem já, rozvedený muž, který právě teď vypráví o jedné ze svých (a zřejmě nikterak výjimečných avantýr). A přece: jsem diletant. Dalo by se říci, že si *hraji* na něco, co Martin *žije*. Někdy mám pocit, že celý můj polygamní život nevyplynul z ničeho jiného než z napodobování ostatních mužů; nepopírám, že jsem v tomto napodobování nenašel zalíbení. Ale nemohu se zbavit pocitu, že v té zálibě zůstává přesto cosi zcela svobodného, hravého a odvolatelného, co třeba charakterizuje návštěvy obrazáren nebo cizích krajin a co není nikterak podrobováno bezpodmínečnému imperativu, který jsem tušil za erotickým životem Martinovým. Právě přítomnost tohoto bezpodmínečného imperativu povyšovala v mých očích Martina. Jeho soud o ženě, zdálo se mi, vyslovuje jeho ústy sama Příroda, sama Nutnost.

PAPRSEK DOMOVA

Když jsme se octli mimo nemocnici, zdůraznil Martin, že se nám všechno náramně daří, a pak připojil: „Ovšem večer si musíme pospíšit. Chci být v devět doma."

Ustrnul jsem: „V devět? To znamená v osm odjet odtud! Ale pak jsme sem jeli docela zbytečně! Počítal jsem s tím, že máme volno celou noc!"

„Proč bys chtěl plýtvat časem!"

„Ale jaký to má smysl jezdit kvůli jedné hodině? Co chceš pořídit od sedmi do osmi?"

„Všechno. Jak sis všiml, obstaral jsem chatu, takže to může jít jak po másle. Bude záležet jen na tobě, aby sis počínal dostatečně rozhodně."

„A proč, prosím tě, musíš být v devět doma?"

„Slíbil jsem to Jiřince. Zvykla si hrát vždycky v sobotu před spaním žolíka."

„Panebože..." vzdychl jsem.

„Jiřinka měla zas včera nějaké nepříjemnosti v kanceláři, tak jí mám brát i tu malou sobotní radost? To víš: je to nejlepší žena, jakou jsem kdy měl. Ostatně," dodal, „ty budeš taky rád, že budeš mít v Praze před sebou ještě celou noc."

Pochopil jsem, že je zbytečné něco namítat. Martinova obava o manželčin klid se nedala nikdy ničím uchlácholit a jeho víra v nekonečné erotické možnosti každé hodiny či minuty se nedala nikdy ničím zviklat.

„Pojď," řekl Martin, „do sedmi jsou ještě tři hodiny! Nebudem zahálet!"

ŠALBA

Vydali jsme se širokou cestou městského parku, který sloužil zdejším obyvatelům jako korzo. Prohlíželi jsme si dvojice dívek, které chodily kolem nás anebo seděly na lavičkách, ale byli jsme nespokojeni s jejich kvalitami.

Martin sice dvě z nich oslovil, dal se s nimi do řeči a smluvil si s nimi dokonce schůzku, ale věděl jsem, že to nemyslí vážně. Byla to takzvaná *tréninková kontaktáž*, kterou Martin občas prováděl, aby nevyšel ze cviku.

Neuspokojeni vyšli jsme pak z parku do ulic, které zely maloměstskou prázdnotou a nudou.

„Pojď něco vypít, mám žízeň," řekl jsem Martinovi.

Našli jsme jakýsi dům, nad nímž byl nápis KAVÁRNA. Vešli jsme, ale uvnitř byla jen samoobsluha; kachlíčkovaná místnost, z níž čišel chlad a cizota; šli jsme se postavit k pultu, koupili si od nevlídné paní nabarvenou vodu a odnesli si ji pak ke stolu, který byl polit omáčkou a vybízel nás k rychlému odchodu.

„Na to nic nedbej," řekl Martin, „šerednost má v našem světě svou pozitivní funkci. Nikdo se nechce nikde zdržovat, lidé odevšad spěchají a takto vzniká žádoucí tempo života. Ale my se tím nenecháme vyprovokovat. Můžeme si teď v bezpečí šeredného lokálu o lecčems promluvit." Napil se limonády a zeptal se: „Kontaktoval jsi už tu medičku?"

„Samozřejmě," řekl jsem.

„A jaká teda je? Vypodobni mi ji pořádně!"

Líčil jsem mu medičku. Nedalo mi to velkou námahu, i když žádná medička neexistovala. Ano. Snad to na mne vrhne špatné světlo, ale je to tak: *vymyslil jsem si ji.*

Dávám své slovo na to, že jsem to neudělal ze špatných důvodů, abych se snad před Martinem vytahoval anebo ho chtěl vodit za nos. Vymyslil jsem si medičku prostě proto, že už jsem neodolal Martinovu naléhání.

Martinovy nároky na mou činnost byly nesmírné. Martin byl přesvědčen, že denně potkávám nové a nové ženy. Viděl mne jiného, než jsem, a kdybych mu po pravdě řekl, že jsem se celý týden nejenom nezmocnil žádné nové ženy, ale dokonce ani o žádnou nezavadil, měl by mě za pokrytce.

Byl jsem proto nucen asi před týdnem předstírat registráž jakési medičky. Martin byl spokojen a měl mě ke kontaktáži. A dnes kontroloval mé pokroky.

„A jaká je to tak asi úroveň? Je to na úrovni..." zavřel oči a lovil z temnot nějakou míru; pak si vzpomněl na společnou známou: „...je to na úrovni Markétky?"

„To je mnohem lepší," řekl jsem.

„Neříkej..." podivil se Martin.

„Je to na úrovni tvé Jiřiny."

Vlastní žena je pro Martina nejvyšší mírou. Martin byl velice šťasten z mé zprávy a zasnil se.

ÚSPĚŠNÁ KONTAKTÁŽ

Pak vešla do místnosti jakási dívka v manšestrových kalhotách a bundě. Šla k pultu, počkala na barevnou vodu a šla ji vypít. Postavila se ke stolu, s nímž jsme sousedili, dala sklenici k ústům a pila, aniž se posadila.

Martin se k ní otočil: „Slečno," řekl, „jsme tu cizinci a máme k vám dotaz..."

Dívka se usmála. Byla docela pěkná.

„Je nám strašné horko a nevíme, co máme dělat."

„Běžte se vykoupat."

„To je právě to. My nevíme, kde je tady u vás koupání."

„Ono tady žádné koupání není."

„Jak je to možné?"

„Jedno koupaliště tady je, ale to je už měsíc vypuštěné."

„A co řeka?"

„Ta se bagruje."

„Tak kam se chodíte koupat?"

„Leda k Hoterskému rybníku, ale to je nejmíň sedm kilometrů."

„To je maličkost, máme auto, stačí, když nás povedete."

„Jako náš lodivod," řekl jsem.

„Spíš autovod," opravil mne Martin.

„Když už, tak autovodka," řekl jsem já.

„Autokoňak," řekl Martin.

„A to v případě slečny nejmíň pětihvězdičkový," řekl jsem zase já.

„Jste prostě naše souhvězdí a měla byste jít s námi," řekl Martin.

Dívka byla zmatena našimi žvásty a nakonec řekla, že by tedy šla, ale že ještě musí něco zařídit a pak se stavit pro plavky; ať prý na ni počkáme přesně za hodinu na témž místě.

Byli jsme spokojeni. Dívali jsme se za ní, jak odchází, jak pěkně pohupuje zadnicí a potřásá černými kučerami.

„Vidíš," řekl Martin, „život je krátký. Musíme využívat každé minuty."

CHVÁLA PŘÁTELSTVÍ

Šli jsme pak znovu do parku. Znovu jsme prohlíželi dvojice dívek sedících na lavičkách; stávalo se, že dokonce leckterá slečna byla pohledná, ale nestalo se nikdy, aby byla pohledná i její sousedka.

„Je v tom jakýsi zvláštní zákon," řekl jsem Martinovi, „škaredá žena doufá získat něco z lesku hezčí přítelkyně, hezká přítelkyně zas doufá, že se bude leskleji odrážet na pozadí šeredky; pro nás z toho plyne, že naše přátelství je podrobováno ustavičným zkouškám. A já si právě vážím toho, že nikdy neponecháváme volbu vývoji událostí, nebo dokonce nějakému vzájemnému zápolení; volba je u nás vždycky věcí zdvořilosti; nabízíme si tu hezčí dívku jako dva staromódní pánové, kteří nemohou vejít nikdy stejnými dveřmi do místnosti, protože nechtějí připustit, aby jeden z nich šel první."

„Ano," řekl Martin dojatě. „Jsi výborný kamarád. Pojď, půjdem si na chvíli sednout, bolí mne nohy."

A tak jsme seděli příjemně zakloněni tváří v tvář slunci a nechali jsme chvíli běžet svět kolem nás bez povšimnutí.

DÍVKA V BÍLÉM

Pojednou se Martin vztyčil (pohnut zřejmě nějakým tajemným čivem) a upřeně hleděl vzhůru po osamělé cestě parku. Přicházela tudy holčička v bílých šatech. Už zdaleka, když ještě proporce těla ani rysy tváře nebylo možno zcela bezpečně zjistit, byl na ní patrný zvláštní, těžko postižitelný půvab; jakási čistota či něžnost.

Když byla holčička už docela blízko nás, mohli jsme poznat, že je zcela mladičká, něco mezi dítětem a dívkou, a to nás uvedlo rázem do stavu naprostého rozrušení, takže se Martin vymrštil z lavičky: „Slečno, jsem režisér Forman, filmový režisér; musíte nám pomoct."

Podal jí ruku a dívenka s nekonečně užaslým zrakem mu ji stiskla.

Martin pokynul hlavou ke mně a řekl: „To je můj kameraman."

„Ondříček," podával jsem dívence ruku.

Dívenka se uklonila.

„Jsme tu v prekérní situaci. Hledám tu exteriéry pro svůj film; měl nás tu čekat náš asistent, který to tu dobře zná, ale asistent nepřijel, takže tu teď právě přemýšlíme, jak se ve zdejším městě a celé té okolní krajině vyznat. Tady pan kameraman," zavtipkoval Martin, „to pořád studuje v té tlusté německé knize, ale tam to bohužel nenajde."

Narážka na knihu, kterou jsem celý týden nemohl číst, mě najednou jaksi podráždila: „Škoda, že nemáte vy sám větší zájem o tu knihu," napadl jsem svého režiséra. „Kdybyste v přípravě pořádně studoval a nepřenechával studium kameramanům, vaše filmy by možná nebyly tak povrchní a nebylo by v nich tolik nesmyslů...

Odpusťte," obrátil jsem se pak s omluvou k dívence, „nebudeme vás přece obtěžovat našimi pracovními spory; náš film je totiž historický film a bude se dotýkat etruské kultury v Čechách..."

„Ano," uklonila se dívenka.

„Je to docela zajímavá kniha, podívejte se," podal jsem dívence knihu a ta ji vzala do rukou s jakousi nábožnou bázní, a když viděla, že si to přeji, lehce jí zalistovala.

„Tady nedaleko musí přece být hrad Pcháček," pokračoval jsem, „to bylo centrum českých Etrusků... ale jak se tam dostat?"

„To je kousek," řekla dívenka a celá se rozzářila, protože bezpečná znalost cesty na Pcháček jí poskytla konečně trochu pevné půdy v onom poněkud temném rozhovoru, jejž jsme s ní vedli.

„Ano? Znáte to tam?" zeptal se Martin, předstírajíc velkou úlevu.

„No samo!" řekla dívenka: „To je hodinka cesty!"

„Pěšky?" zeptal se Martin.

„Ano, pěšky," řekla dívenka.

„My tu máme přece auto," řekl jsem.

„Nechcete nám dělat lodivoda?" řekl Martin, ale já jsem nepokračoval v obvyklém rituálu vtípků, protože mám přesnější psychologický odhad než Martin a vycítil jsem, že lehkovážné žertování by nám v tomto případě spíš uškodilo a že naší zbraní je nyní jen naprostá serióznost.

„Nechceme, slečno, nikterak narušovat váš čas," řekl jsem, „ale kdybyste byla tak laskava a mohla nám věnovat chvilku a ukázat nám některá místa, která tu hledáme, moc byste nám pomohla — a byli bychom vám oba velice vděčni."

„Ale ano," uklonila se zase dívenka, „já ráda... Já jenom..." teprve teď jsme si všimli, že má v ruce síťovku a v ní dvě hlávky salátu, „musím donést mamince salát, ale to je tady kousek a já bych hned přišla..."

„Salát mamince musíte samozřejmě včas a v pořádku donést," řekl jsem, „my tu rádi počkáme."

„Ano. To bude nejdýl deset minut," řekla dívenka a ještě jednou se uklonila a odcházela v spěchu plném snahy.

„Pane!“ řekl Martin a posadil se.
„Je to výborné, co?“
„To bych řekl. Tomu jsem s to obětovat obě sestry.“

OŠIDNOST PŘÍLIŠNÉ VÍRY

Leč uplynulo deset minut, čtvrthodina a dívenka nepřicházela.

„Neboj se,“ utěšoval mě Martin. „Jestli je něco jistého, tak tedy to, že přijde. Náš výstup byl naprosto věrohodný a holčička byla u vytržení.“

I já jsem byl toho názoru, a tak jsme čekali dál, jsouce s každou přibývající minutou víc a víc žádostiví té dětské dívenky. Mezitím minula i doba určená k našemu setkání s dívkou v manšestrových kalhotách, ale my jsme byli tak upřeni na naši bílou holčičku, že nás ani nenapadlo se zvednout.

A čas plynul.

„Poslyš, Martine, myslím, že už nepřijde,“ řekl jsem nakonec.

„Jak si to vysvětlíš? Vždyť nám ta holka věřila jako božstvu.“

„Ano,“ řekl jsem, „a v tom je naše neštěstí. Ona nám totiž *až příliš* věřila!“

„No a? Chtěl jsi snad, aby nám nevěřila?“

„Bylo by to tak asi lépe. Přílišná víra je ten nejhorší spojenec.“ Myšlenka mě strhla; rozkecal jsem se: „Když něčemu věříš doslova, uvedeš to nakonec svou vírou ad absurdum. Kdo je skutečným stoupencem nějaké politiky, nebere nikdy vážně její *sofismata,* nýbrž jen praktické cíle, které se pod těmi sofismaty ukrývají. Politické fráze a sofismata tu přece nejsou, aby se jim věřilo; mají spíš sloužit jako jakási *společná a smluvená výmluva*; pošetilci, kteří je berou doopravdy, objeví v nich dřív nebo později rozpory, začnou se bouřit a skončí nakonec hanebně jako kacíři a odpadlíci. Ne, přílišná víra nepřináší nikdy nic dobrého; a nejenom politickým nebo náboženským systémům; ani našemu systému, jímž jsme chtěli získat dívenku.“

„Nějak ti přestávám rozumět," řekl Martin.

„Je to docela srozumitelné: byli jsme pro dívenku opravdu *pouze* dva vážní a vážení pánové a ona jako způsobné dítě, které nabízí v tramvaji místo staršímu, nám chtěla vyhovět."

„Tak proč nám nevyhověla?"

„Protože nám tolik věřila. Dala mamince salát a hned jí o nás nadšeně vyprávěla: o historickém filmu, o Etruscích v Čechách a maminka..."

„Ano, dál je mi všechno jasné..." přerušil mne Martin a vstal z lavičky.

ZRADA

Slunce už ostatně zvolna klesalo nad střechy města; lehce se ochladilo a bylo nám smutno. Šli jsme se ještě pro všechny případy podívat k samoobsluze, jestli tam nějakým omylem na nás dosud nečeká dívka v manšestrákách. Nebyla tam ovšem. Bylo půl sedmé. Sešli jsme k autu, a připadajíce si náhle jako dva lidé vyhoštění z cizího města a jeho radostí, řekli jsme si, že nám nezbývá než se uchýlit na exteritoriální území vlastního vozu.

„No tak!" okřikl mě v autě Martin. „Vždyť se netvař tak pohřebně! Nemáme k tomu vůbec důvod! To hlavní je přece před námi!"

Chtěl jsem namítnout, že na to hlavní nám zůstala sotva hodina času kvůli Jiřince a jejímu žolíku — ale raději jsem mlčel.

„Ostatně," pokračoval Martin, „den byl bohatý: registráž té holky z Traplic, kontaktáž slečny v manšestrákách; vždyť to tu máme kdykoli přichystáno, vždyť to nechce nic jiného, než sem ještě jednou přijet!"

Nic jsem nenamítal. Ano. Registráž i kontaktáž byla vykonána znamenitě. To bylo zcela v pořádku. Ale mně v tu chvíli napadlo, že se Martin poslední rok kromě nespočetných registráží a kontaktáží k ničemu kloudnějšímu už vůbec nedostal.

Podíval jsem se na něho. Jeho oči zářily jako vždy svým žádostivým svitem; pocítil jsem v té chvíli, že mám Martina rád a že mám rád i ten prapor, pod nímž celý život pochoduje: prapor věčné honby za ženami.

Uplynul čas a Martin řekl: „Je sedm hodin."

Zajeli jsme tedy asi deset metrů od brány nemocnice, a to tak, že jsem mohl v zrcátku auta bezpečně pozorovat, kdo odtud vychází.

Myslil jsem pořád na ten prapor. A také na to, že v té honbě za ženami jde rok od roku čím dál méně o ženy a čím dál více o tu honbu samu. Za předpokladu, že jde o předem *marné* pronásledování, je totiž možno denně pronásledovat jakýkoli počet žen a učinit takto honbu *absolutní honbou.* Ano: Martin se dostával do situace absolutní honby.

Čekali jsme pět minut. Dívky nepřicházely.

Nikterak mě to neznepokojovalo. Bylo přece docela lhostejné, přijdou-li či ne. Vždyť i kdyby i přišly, což bychom mohli za pouhou hodinu zajet s nimi do vzdálené chaty, přimět je k důvěrnostem, pomilovat je a v osm hodin se zas pěkně rozloučit a odjet? Ne, v okamžiku, kdy Martin omezil naše časové možnosti osmou hodinou, posunul (jako už tolikrát) celou tuto avantýru do oblasti sebeklamné hry.

Uplynulo deset minut. U vchodu se nikdo neobjevoval.

Martin se rozhořčil a skoro křičel: „Dávám jim ještě pět minut! Déle nečekám!"

Martin už není mlád — uvažoval jsem dál. Miluje docela věrně svou ženu. Žije vlastně v tom nejspořádanějším manželství. To je skutečnost. A hle — nad tou skutečností (a zároveň s ní) v rovině dojemně nevinného sebeklamu pokračuje dál Martinovo mládí, neklidné, veselé a bludné, mládí proměněné v pouhou hru, která už není nijak s to překročit lajnu svého hřiště, zasáhnout život sám a stát se skutečností. A protože je Martin zaslepeným rytířem Nutnosti, proměnil svá dobrodružství v neškodnost Hry, *aniž o tom věděl:* vkládá do nich nadále celou svou zanícenou duši.

Dobrá, řekl jsem si. Martin je zajatcem svého sebeklamu, ale co já? Co já? Proč já mu tu asistuju u té směšné hry? Proč já, který vím, že to vše je klam, předstírám ho s ním? Nejsem pak ještě směšnější než

Martin? Proč se tu mám v této chvíli tvářit jako před milostným dobrodružstvím, když vím, že mě čeká nanejvýš jedna absolutně bezúčelná hodina s cizími a lhostejnými dívkami?

V té chvíli jsem uviděl v zrcátku, jak se v bráně nemocnice objevily dvě mladé ženy. I na tu dálku svítil z nich pudr a růž, byly nápadně elegantní a jejich zdržení zřejmě souviselo s jejich dobře připraveným vzhledem. Rozhlédly se a zamířily k našemu autu.

„Martine, nedá se nic dělat," zapřel jsem dívky. „Čtvrthodina je pryč. Jedem." A našlápl jsem plyn.

POKÁNÍ

Odjížděli jsme z B., minuli jsme poslední domky a vjeli do krajiny polí a lesíků, k jejímž hřbetům se spouštělo veliké slunce.

Mlčeli jsme.

Myslil jsem na Jidáše Iškariotského, o němž praví jeden duchaplný autor, že zradil Ježíše právě proto, že v něho bezmezně *věřil*: nemohl se dočkat zázraku, jímž by dal Ježíš najevo všem Židům svou božskou moc; vydal ho tedy biřicům, aby ho konečně vyprovokoval k činu; zradil ho, protože toužil uspíšit jeho vítězství.

Běda, řekl jsem si, zradil jsem Martina naopak právě proto, že jsem v něho (a v božskou moc jeho holkaření) věřit přestal; jsem hanebná sloučenina Jidáše Iškariotského a Tomáše, jemuž se říkalo „nevěřící". Cítil jsem, jak mým proviněním narůstá ve mně k Martinovi cit a jak jeho prapor věčné honby (jejž bylo slyšet, jak se nad námi stále třepotá) mne k pláči rozlítostňuje. Začal jsem si vyčítat svůj unáhlený čin.

Což já sám budu s to se snáze rozloučit s oněmi posunky, které pro mne znamenají mládí? A zbude mi snad něco jiného, než abych je pak alespoň *napodoboval* a snažil se najít pro tuto nerozumnou činnost ve svém rozumném životě ohrádku bezpečí? Co na tom, že je to všechno marná hra? Co na tom, že to *vím*? Což přestanu hrát hru jenom proto, že je marná?

ZLATÉ JABLKO VĚČNÉ TOUHY

Seděl vedle mne a zvolna se probíral ze své nevole.

„Poslyš," řekl mi, „ta medička je opravdu tak vysoká třída?"

„Říkám ti. Na úrovni tvé Jiřiny."

Martin mi kladl další otázky. Musel jsem mu medičku znovu líčit.

Pak řekl: „Snad bys mi ji mohl potom předat, ne?"

Chtěl jsem být pravděpodobný: „To bude možná těžké. Vadilo by jí, že jsi můj kamarád. Má tuhé zásady..."

„Má tuhé zásady..." řekl Martin smutně a bylo vidět, že je mu to líto.

Nechtěl jsem ho trápit.

„Ledaže bych zapřel, že tě znám," řekl jsem. „Mohl by ses třeba vydávat za někoho jiného."

„Výborně! Třeba za Formana jako dnes."

„Na filmaře ona kašle. Má spíš ráda sportovce."

„Proč ne?" řekl Martin, „to všechno se dá udělat," a byli jsme za chvíli v plné debatě. Plán se stával minutu od minuty jasnějším a za chvíli se pohupoval před námi v nastávajícím šeru jako krásné, dozrálé, zářící jablko.

Dovolte mi, abych to jablko s jistou slavnostností nazval zlatým jablkem věčné touhy.

FALEŠNÝ AUTOSTOP

Falešný autostop

1

Rafička na měřiči benzínu klesla najednou k nule a mladý řidič dvousedadlového osobního auta prohlásil, že je to k vzteku, kolik to auto žere. „Jenom abychom zas nezůstali stát bez benzínu," prohlásila dívka (asi dvaadvacetiletá) a připomněla řidiči několik míst na mapě vlasti, kde se jim to již stalo. Mladík odpověděl, že si nedělá starosti, protože cokoli zažije s ní, má pro něho půvab dobrodružství. Dívka oponovala; pokud jim došel uprostřed cesty benzín, bylo to prý vždycky dobrodružství pouze pro ni, protože mladík se schoval a ona musela zneužívat svého půvabu: stopnout auto, nechat se odvézt k nejbližší pumpě, znovu stopnout auto a vrátit se s kanystrem zpět. Mladík se otázal dívky, zda šoféři, kteří ji vezli, byli tak nepříjemní, že mluví o svém úkolu jako o příkoří. Odpověděla (s neobratnou koketností), že byli někdy *velice* příjemní, ale co prý z toho měla, když byla obtížena kanystrem a musila se s nimi rozloučit dřív, než si stačila něco začít. „Mizero," řekl mladík. Dívka prohlásila, že není mizera ona, nýbrž právě on; bůhvíkolik dívek ho zastavuje na silnici, když jezdí autem sám! Mladík vzal za jízdy dívku kolem ramen a políbil ji lehce na čelo. Věděl, že ho má ráda a že na něho žárlí. Žárlivost není ovšem nijak příjemná vlastnost, ale není-li jí nadužíváno (je-li spojena se skromností), má v sobě kromě své nepohodlnosti i cosi dojemného. Mladík si to aspoň myslil. Protože mu bylo pouze osmadvacet let, zdálo se mu, že je stár a poznal vše, co může muž u žen poznat. Na dívce, která seděla vedle něho, oceňoval právě to, co dosud u žen poznal nejméně: její čistotu.

Rafička byla už na nule, když mladík zahlédl vpravo tabuli, která oznamovala (černou kresbou pumpy), že benzínová stanice je vzdálena pět set metrů. Dívka sotva stačila prohlásit, že jí spadl kámen ze srdce, a mladík už dával směrovku doleva a vjížděl na prostranství před pumpami. Musil však zastavit na kraji, protože u pumpy stál objemný vůz s velkou plechovou nádrží a tlustou hadicí napájel pumpu benzínem. „To si počkáme," řekl mladík dívce a vystoupil z auta. „Jak to bude dlouho trvat?“ zvolal na chlapíka v montérkách. „Minutku,“ odpověděl chlapík a mladík řekl: „Tu minutku znám.“ Chtěl si sednout zase do vozu, ale viděl, že dívka vystoupila druhými dvířky také. „Já si zatím odskočím,“ řekla. „Kampak?“ zeptal se mladík schválně, protože chtěl vidět dívčiny rozpaky. Znal se s ní už celý rok a dívka se stále ještě uměla před ním stydět a on okamžiky jejího studu velmi miloval; jednak proto, že se jimi odlišovala od žen, s kterými se stýkal před ní, jednak proto, že věděl o zákonu obecné pomíjivosti, který mu činil vzácným i stud jeho dívky.

2

Dívka opravdu neměla ráda chvíle, kdy musila za jízdy (mladík jezdíval často mnoho hodin bez zastávky) prosit o malé zastavení někde u lesíka. Měla na něho vždycky vztek, když se s hraným údivem ptal, proč má zastavovat. Věděla, že její stud je směšný a staromódní. Mnohokrát si ověřila ve svém zaměstnání, že se jí pro její choulostivost smějí a schválně ji provokují. Vždycky se už předem styděla za to, že se bude stydět. Často toužila po tom, aby se uměla cítit ve svém těle volně, bezstarostně a neúzkostně, tak jak to uměla většina žen kolem ní. Vymyslila si pro sebe i zvláštní výchovné přesvědčování: opakovala si, že každý člověk dostane při narození jedno z miliónů nachystaných těl, jako by dostal přidělenu jednu z miliónů místností v nesmírném hotelu; že tělo je tedy nahodilé a neosobní; že je to jen propůjčená a konfekční věc. Takhle si to všelijak opakovala, ale cítit tak nikdy neuměla. Ten dualismus těla a duše jí byl cizí. Byla sama příliš svým tělem, a proto je pociťovala vždycky úzkostně.

S takovou úzkostlivostí přistupovala i k mladíkovi, kterého poznala před rokem a s kterým byla šťastna snad právě proto, že nikdy neodděloval její tělo od její duše a mohla s ním žít *cele.* V té nerozpolcenosti bylo štěstí, jenomže za štěstím hned číhá podezření a dívka jich byla plna. Často ji třeba napadlo, že jiné ženy (ty neúzkostlivé) jsou přitažlivější a svůdnější a že mladík, který se netajil, že tento typ žen dobře zná, jí někdy za takovou ženou odejde. (Mladík sice prohlašoval, že je jich na celý život přesycen, ale ona věděla, že je dosud mnohem mladší, než si myslí.) Chtěla, aby byl cele její a ona cele jeho, ale často se jí zdálo, že čím víc usiluje dát mu vše, tím víc mu cosi upírá: právě to, co člověku dává láska nehluboká a povrchní, co člověku dává flirt. Trápila se tím, že neumí být kromě vážnosti i lehkovážná.

Ale tentokrát se netrápila a vůbec na nic takového nepomyslila. Bylo jí dobře. Byl první den jejich dovolené (čtrnáctidenní dovolené, na kterou soustředila celý rok svou touhu), byla modrá obloha (celý rok myslila s hrůzou na to, bude-li opravdu modrá obloha) a on byl s ní. Na jeho „kampak" zrudla a odběhla beze slova od auta. Obešla stanici, která stála na kraji silnice zcela o samotě obklopena poli; asi sto metrů odtud (ve směru jejich další cesty) začínal les. Vydala se k němu, ztratila se v něm za keříčkem a po celou dobu v sobě hýčkala pocit pohody. (I radost z přítomnosti milovaného muže se dá totiž nejlépe prožít o samotě. Kdyby byla jeho přítomnost nepřetržitá, vlastně by byla přítomna jen svým ustavičným míjením. *Zadržet* je ji možno jen ve chvilkách osamění.)

Potom vyšla z lesa na silnici; bylo odtud vidět stanici; kamion s nádrží již odjížděl; osobní auto se sesunulo k červené věžičce pumpy. Dívka se dala po silnici dál a jen chvílemi se ohlédla, zda už nejede. Pak je uviděla; zastavila se a začala na ně mávat tak, jak mávají na cizí auto stopaři. Auto přibrzďovalo a zastavilo těsně u dívky. Mladík se naklonil k okénku, vytočil je dolů, usmál se a zeptal se: „Kam byste chtěla, slečno?" „Jedete do Bystrice?" zeptala se dívka a koketně se na něho usmála. „Prosím, posaďte se," otvíral mladík dveře. Dívka usedla a auto se rozjelo.

3

Mladík byl vždycky rád, když byla jeho dívka veselá; nebývalo to tak často: měla dost obtížné zaměstnání, nevrlé prostředí, mnoho přesčasových hodin bez náhradního volna, doma nemocnou matku, bývala unavená; nevynikala ani zvlášť dobrými nervy ani sebejistotou a propadala snadno úzkostem i strachu. Dovedl proto přivítat každý projev její veselosti s něžnou starostlivostí pěstouna. Usmál se na ni a řekl: „Mám dnes štěstí. Jezdím autem už pět let, ale tak hezkou stopařku jsem nikdy nevezl."

Dívka byla mladíkovi za každou jeho lichotku vděčna; chtěla se chvíli pozdržet v jejím teple, a proto řekla: „Lhát umíte dobře."

„Vypadám jako lhář?"

„Vypadáte, že rád lžete ženám," řekla dívka a v jejích slovech bylo mimoděk trochu staré úzkosti, protože opravdu věřila, že její mladík lže rád ženám.

Mladíka dívčiny žárlivosti už někdy zlobívaly, ale tentokrát je mohl lehce pominout, protože věta přece neplatila jemu, nýbrž neznámému řidiči. A tak se jenom banálně zeptal: „Vadí vám to?"

„Kdybych s vámi chodila, tak by mi to vadilo," řekla dívka a byl to jemný pedagogický vzkaz mladíkovi; ale konec věty už platil jenom cizímu řidiči: „Vás neznám, tak mi to nevadí."

„Na vlastním muži ženě vždycky vadí mnohem víc věcí než na cizím," (to byl zas jemný pedagogický vzkaz mladíka dívce) „takže vzhledem k tomu, že jsme si cizí, mohli bychom si dobře rozumět."

Dívka úmyslně nechtěla rozumět pedagogické narážce, a proto se teď obrátila výhradně jenom k neznámému řidiči: „Co z toho, když se za chvíli rozejdem?"

„Proč?" zeptal se mladík.

„V Bystrici přece vystoupím."

„A co když vystoupím s vámi?"

Dívka se po těchto slovech na mladíka poohlédla a zjistila, že vypadá přesně tak, jak si ho představuje v nejtrýznivějších hodinách žárlení; zděsila se, jak s ní (neznámou stopařkou) lichotivě koketuje a jak mu to sluší. Odsekla mu proto se vzdorovitou provokativností: „Co *vy* byste se mnou, prosím vás, dělal?“

„S tak krásnou ženou bych se moc nerozmýšlel, co dělat,“ řekl mladík dvorně a mluvil v té chvíli zase mnohem víc ke své vlastní dívce než k postavě stopařky.

Ale dívce bylo, jako by ho v té lichotné větě přistihla, jako by na něm podvodným trikem vyloudila přiznání; pocítila k němu krátkou prudkou zášť a řekla: „Neděláte si moc velké oči?“

Mladík se podíval na dívku; její vzdorovitá tvář zdála se mu být plna křeči; pocítil k dívce lítost a zatoužil po jejím známém, obvyklém pohledu (o němž říkával, že je dětský a prostý); nahnul se k ní, objal ji rukou kolem ramen a řekl tiše jméno, kterým ji obvykle oslovoval a kterým chtěl nyní zrušit hru.

Ale dívka se mu vyvinula a řekla: „Berete to nějak moc zprudka!“

Odstrčený mladík řekl: „Promiňte, slečno,“ a díval se mlčky před sebe na silnici.

4

Lítostivá žárlivost opustila však dívku tak rychle, jako ji přepadla. Měla přece rozum a věděla dobře, že to vše je pouhá hra; přišlo jí teď dokonce trochu směšné, že muže odstrčila z žárlivého vzteku; nebylo by jí milé, kdyby to poznal. Měla naštěstí zázračnou schopnost měnit dodatečně smysl svých činů; využila tedy této schopnosti a rozhodla se, že ho odstrčila ne ze zlosti, ale proto, aby mohla pokračovat dál ve hře, která svou rozmarností se tak dobře hodí k prvnímu dni dovolené.

Byla tedy opět stopařkou, která právě odstrčila dotěrného řidiče jen proto, aby zpomalila dobývání a dodala mu více dráždivosti. Pootočila se k mladíkovi a řekla mazlivě:

„Já vás, pane, nechtěla urazit!“

„Odpusťte mi, už se vás nedotknu,“ řekl mladík.

Měl na dívku vztek, že ho neposlechla a odmítla být sama sebou, když po tom zatoužil; a když dívka tedy trvala nadále na své masce, přenesl mladík svou zlost na cizí stopařku, kterou představovala; a tak najednou objevil charakter své role: přestal s galantnostmi, jimiž chtěl oklikou lichotit své dívce, a začal hrát muže tvrdého, obracejícího se k ženám spíš hrubšími stránkami mužství: vůlí, sarkasmem, sebevědomím.

Tato role byla docela protikladná mladíkovu starostlivému přístupu k dívce. Než ji poznal, choval se sice k ženám skutečně spíš drsně než jemně, ale démonicky tvrdému muži se nepodobal nikdy, protože nevynikal ani silou vůle ani bezohledností. Nepodobal-li se mu však, tím víc se mu kdysi *toužil* podobat. Je to zajisté touha dost naivní, ale co naplat: dětinské touhy odolávají všem nástrahám dospělého ducha a přežívají ho často do hlubokého stáří. A ta dětinská touha využila rychle příležitosti vtělit se do nabídnuté role.

Dívce byla mladíkova sarkastická odměřenost velice vhod: osvobozovala ji od ní samé. Ona sama, to byla přece především žárlivost. Ve chvíli, kdy přestala vedle sebe vidět mladíka galantně svádějícího a uviděla jeho nepřístupnou tvář, její žárlivost se utišila. Dívka mohla zapomenout na sebe samu a oddat se své roli.

Své roli? Jaké? Byla to role ze špatné literatury. Stopařka zastavila auto ne proto, aby se svezla, ale aby svedla muže, který v autu jel; byla to prohnaná svůdkyně, výborně disponující svými půvaby. Dívka vklouzla do té pitomé románové postavičky s lehkostí, která ji samu vzápětí překvapila a okouzlila.

A tak spolu jeli; cizí řidič a cizí stopařka.

5

Nic nechybělo mladíkovi v životě víc než bezstarostnost. Silnice jeho života byla narýsována s bezohlednou přísností: zaměstnání se nevyčerpávalo jen osmi hodinami denně, prosakovalo i do ostatního času povinnou nudou schůzí i domácím studiem; a prosakovalo pozorností nesčetných kolegů a kolegyň i do jeho časově chudičkého soukromí, které nikdy nezůstalo utajeno a stalo se ostatně už několikrát předmětem klepů i veřejného jednání. Ani dva týdny dovolené neposkytly mu pocit osvobození a dobrodružství; šedý stín přísné plánovanosti ležel i tu; nouze o letní byty ho donucovala, že si musil zamluvit pokoj v Tatrách už před půl rokem a že k tomu potřeboval doporučení od závodní rady svého podniku, jehož všudypřítomná duše o něm tedy nepřestala ani na chvíli vědět.

Byl s tím vším smířen, přesto ho však občas přepadala hrozná představa silnice, po které je hnán, na níž je všemi viděn a ze které nesmí odbočit. Ta představa se mu vybavila i nyní; podivným krátkým spojením se mu ztotožnila obrazná silnice se skutečnou silnicí, po níž jel — a to ho přivedlo k náhlé ztřeštěnosti.

„Kam jste říkala, že chcete jet?" zeptal se dívky.

„Do Banské Bystrice," odpověděla.

„A copak tam budete dělat?"

„Mám tam schůzku."

„S kýmpak?"

„S jedním pánem."

Auto přijíždělo právě na velké rozcestí; řidič zmírnil rychlost, aby si mohl přečíst tabule označující směry; pak odbočil doprava.

„Co se stane, když na tu schůzku nepřijedete?"

„To byste měl na svědomí vy a musil byste se o mne postarat."

„Vy jste si zřejmě nevšimla, že jsem odbočil na Nové Zámky."

„Opravdu? Vy jste se zbláznil!"

„Nebojte se, já se o vás postarám," řekl mladík.

Hra rázem nabyla vyšší kvality. Auto se nevzdalovalo jen imaginárnímu cíli Banské Bystrice, ale i skutečnému cíli, k němuž ráno vyjelo: Tatrám a objednanému pokoji. Hraný život atakoval náhle život nehraný. Mladík se vzdaloval sám sobě a své přísné silnici, z níž dosud nikdy neodbočil stranou.

„Ale vždyť jste říkal, že jedete do Nízkých Tater!" divila se dívka.

„Jedu slečno, kam se mi zachce. Jsem svobodný člověk a dělám to, co chci a co se mi zlíbí."

6

Když dojeli do Nových Zámků, začalo se už stmívat.

Mladík tu nikdy nebyl a trvalo chvíli, než se tu zorientoval. Několikrát zastavil auto a ptal se kolemjdoucích, kde je hotel. Bylo tu několik rozkopaných ulic, takže jízda do hotelu, i když byl (jak všichni dotazovaní tvrdili) zcela blízko, vedla tolika oklikami a objížďkami, že to trvalo téměř čtvrt hodiny, než u něho konečně zastavili. Hotel vypadal nevábně, ale byl to jediný hotel ve městě a mladíkovi se už nechtělo jezdit dál. Řekl tedy dívce: „Počkejte," a vystoupil z auta.

Když vystoupil, byl samozřejmě zase sám sebou. A zdálo se mu mrzuté, že se navečer octl někde úplně jinde, než mínil; tím mrzutější, že ho k tomu nikdo nenutil a že to vlastně ani on sám nechtěl. Vyčítal si ztřeštěnost, ale pak mávl rukou: pokoj v Tatrách do zítřka počká a nemůže škodit, jestliže oslaví první den dovolené nějakou nepředvídaností.

Prošel restaurací — zakouřenou, zaplněnou, hlučnou, a ptal se, kde je recepce. Poslali ho dozadu ke schodišti, kde za zasklenými dveřmi seděla obstarožní blondýna pod tabulí plnou klíčů; s potížemi získal klíč od jediného volného pokoje.

I dívka, když osaměla, shodila ze sebe svou roli. Nepociťovala však mrzutost, že se octla v neočekávaném městě. Byla mladíkovi tak oddána, že nepochybovala nikdy o ničem, co udělal, a svěřovala mu s důvěrou hodiny svého života. Zato se jí znovu vynořila myšlenka, že snad právě tak jako teď ona, čekávají na muže v jeho autě jiné ženy, s kterými se potkává na služebních cestách. Ale kupodivu ta představa tentokrát nijak nebolela; dívka se totiž vzápětí usmála nad tím, jak je to krásné, že tou cizí ženou je nyní ona; tou cizí, neodpovědnou a neslušnou ženou, jednou z těch, na které tolik žárlila; zdálo se jí, že jim všem tím vypaluje rybník; že přišla na to, jak se zmocnit jejich zbraní; jak dát mladíkovi to, co mu až dosud dát neuměla: lehkost, necudnost a nevázanost; naplnil ji zvláštní pocit spokojenosti, že ona sama jediná má schopnost být všemi ženami a svého miláčka takto zcela (ona sama jediná) zaujmout a pohltit.

Mladík otevřel dvířka auta a zavedl dívku do restaurace. V hluku, špíně a kouři objevil jediný volný stolek v koutě.

7

„Tak jak se teď o mne postaráte?" zeptala se dívka vyzývavě.

„Co máte ráda jako aperitiv?"

Dívka nebyla moc na alkohol; ještě tak pila víno a chutnal jí vermut. Tentokrát však řekla schválně: „Vodku."

„Výborně," řekl mladík a objednal vodku. „Doufám, že se mi neopijete."

„A kdyby?" řekla dívka.

Mladík neodpověděl a zavolal číšníka, poručil dvě vodky a biftek k večeři. Číšník donesl za chvíli tácek s dvěma kalíšky a postavil ho před ně.

Muž zvedl kalíšek a řekl: „Na vás!"

„Duchaplnější přípitek vás nenapadne?"

Bylo tu něco, co muže začínalo na dívčině hře dráždit; teď, když jí seděl tváří v tvář, pochopil, že to nejsou jen *slova*, co z ní dělá kohosi cizího, ale že je *celá* proměněná, v gestaci i v mimice, a že se podobá až nechutně věrně tomu modelu žen, který tak dobře znal a k němuž pociťoval lehký odpor.

A tak (drže kalíšek v pozvednuté ruce) opravil svůj přípitek: „Dobrá, nepřipiju tedy na vás, ale na vaše plemeno, v němž se tak zdařile spojuje to lepší ze zvířete a to horší z člověka."

„Myslíte tím plemenem všechny ženy?" ptala se dívka.

„Ne, myslím jen ty, které se podobají vám."

„Stejně mi nepřipadá moc vtipné srovnávat ženu se zvířetem."

„Dobrá," držel mladík pozvednutý kalíšek, „nepřipiju tedy na vaše plemeno, ale na vaši duši; souhlasíte? Na vaši duši, která se rozsvěcuje, když se spouští z hlavy dolů do břicha, a která zhasíná, když stoupá zase vzhůru do hlavy."

Dívka zvedla kalíšek: „Dobře, tak na mou duši, která se spouští do břicha."

„Ještě jednou se opravím," řekl mladík, „raději na vaše břicho, do kterého se spouští vaše duše."

„Na moje břicho," řekla dívka a její břicho (když je teď výslovně pojmenovali) jako by odpovídalo na zavolání: cítila každý milimetr jeho kůže.

Pak přinesl číšník biftek a mladík objednal další vodku se sodou (připili tentokrát na dívčina ňadra) a rozhovor pokračoval dál v divném frivolním tónu. Mladíka dráždilo čím dál tím víc, jak dívka *umí* být tou lascívní slečnou; když to tak dobře umí, pomyslil si, znamená to, že jí opravdu také *je*; žádná cizí duše do ní přece nevstoupila odkudsi z prostoru; to, co tu hraje, je ona sama; snad je to ta část její bytosti, která je jindy držena pod zámkem a kterou teď záminka hry vypustila z klece; dívka si možná myslí, že hrou *zapírá* sama sebe; ale není to právě naopak? nestává se teprve ve hře sama sebou? neosvobozuje se hrou? ne, naproti němu nesedí žádná cizí žena v těle jeho dívky; je to jen jeho dívka, ona sama, nikdo jiný. Díval se na ni a cítil k ní rostoucí nechuť.

Avšak nebyla to jen nechuť. Čím více se mu dívka *psychicky* vzdalovala, tím víc po ní *fyzicky* toužil; cizota duše ozvláštnila dívčino tělo; ba vlastně ona ho teprve učinila tělem; jako by až dosud existovalo pro mladíka v oblacích soucitu, něhy, starostlivosti, lásky a dojetí; jako by bylo ztraceno v těch oblacích (ano, jako by bylo tělo *ztraceno!*). Mladíkovi se zdálo, že dnes poprvé *vidí* dívčino tělo.

Po třetí vodce se sodou se dívka zvedla a koketně řekla: „Pardon."

Mladík řekl: „Smím se vás zeptat, kam jdete, slečno?"

„Vyčurat se, jestli dovolíte," řekla dívka a odcházela mezi stoly dozadu k plyšové plentě.

8

Byla spokojená, jak ohromila mladíka slovem, které od ní — přes veškeru jeho nevinnost — nikdy neslyšel; nic jí nepřipadalo lepším vystižením ženy, kterou hrála, než koketní důraz položený na zmíněné slovo; ano, byla spokojená, byla v nejlepší míře; hra ji strhovala; dávala jí pocítit, co dosud nepocítila: třeba ten *pocit bezstarostné neodpovědnosti*:

Ona, která se vždy obávala každého svého příštího kroku, cítila se náhle zcela uvolněná. Cizí život, v kterém se ocitla, byl život bez studu, bez životopisných determinací, bez minulosti i budoucnosti, bez závazků; byl to život mimořádně svobodný. Dívka, jsouc stopařkou, směla vše: *vše jí bylo dovoleno*; cokoli říkat, cokoli dělat, cokoli cítit.

Šla sálem a uvědomovala si, jak je od všech stolů pozorována; i to byl nový pocit, který nepoznala: *neslušná radost z těla*. Až dosud se v sobě nikdy neuměla beze zbytku zbavit té čtrnáctileté dívenky, která se stydí za svá prsa a má pocit nepříjemné neslušnosti, že jí vyčnívají z těla a jsou viditelná. I když byla pyšná na to, že je hezká a pěkně rostlá, byla ta pýcha vždy hned korigována studem: tušila dobře, že ženská krása funguje především jako sexuální výzva a bylo jí to nepříjemné; toužila, aby se její tělo obracelo jen k člověku, kterého miluje, když si muži prohlíželi na ulici její poprsí, zdálo se jí, že tím pustoší i kus nejtajnějšího soukromí, které patří jen jí a jejímu milenci. Ale teď byla stopařkou, ženou bez osudu; byla zbavena něžného pouta své lásky a začala si uvědomovat intenzívně své tělo; cítila je tím dráždivěji, čím cizejší byly oči, které je pozorovaly.

Už šla kolem posledního stolu a nějaký připilý muž, chtěje se pochlubit svým světáctvím, oslovil ji francouzsky: „Combien, mademoiselle?"

Dívka tomu rozuměla. Vypjala se a prožívala každý pohyb svých kyčlí; zmizela za plentou.

9

Byla to všechno divná hra. Ta podivnost byla například v tom, že mladík, i když se sám znamenitě vtělil do neznámého řidiče, nepřestával vidět v stopařce stále svou dívku. A právě to bylo trýznivé; viděl svou dívku, jak svádí cizího muže, a měl tu trpkou výsadu být při tom; vidět zblízka, jak vypadá a co mluví, když ho podvádí (když ho podváděla, když ho bude podvádět); měl tu paradoxní čest být sám tím, s nímž je mu nevěrná.

Bylo to o to horší, že ji víc zbožňoval, než miloval; zdálo se mu vždycky, že její bytost je *skutečná* jen uvnitř hranic věrnosti a čistoty a že za těmito hranicemi prostě neexistuje; že by za těmi hranicemi přestala být sama sebou, jako voda přestává být vodou za hranicí varu. Když ji nyní viděl, jak překračuje se samozřejmou elegancí tu úděsnou hranici, naplňoval ho hněv.

Dívka se vrátila ze záchodu a stěžovala si: „Nějaký chlapík mi tam řekl: Combien, mademoiselle."

„Nedivte se," řekl mladík, „vždyť vypadáte jako děvka."

„Víte, že mi to vůbec nevadí?"

„Měla jste s tím pánem jít!"

„Mám tady přece vás."

„Můžete jít s ním po mně. Domluvte si to s ním."

„Nelíbí se mi."

„Ale v zásadě proti tomu nic nemáte, mít za noc několik mužů."

„Proč ne, když jsou hezcí."

„Máte je raději po sobě, nebo zároveň?"

„Tak i tak," řekla dívka.

Rozhovor zacházel do čím dál větších nehorázností; dívku to mírně šokovalo, ale nemohla protestovat. I ve hře se skrývá pro člověka nesvoboda; i hra je pro hráče past; kdyby to nebyla hra a seděli tu skutečně dva cizí lidé, stopařka by se už dávno mohla urazit a odejít; ale ze hry není úniku; mužstvo nemůže utéci před koncem ze hřiště, šachové figurky nemohou uprchnout ze šachovnice, hranice hřiště jsou nepřekročitelné. Dívka věděla, že musí přijmout jakoukoli hru právě proto, že je to hra. Věděla, že čím bude hra extrémnější, tím více bude hrou a tím poslušněji ji musí hrát. A bylo marné přivolávat rozum a upozorňovat potřeštěnou duši, že musí od hry zachovat odstup a nebrat ji vážně. Právě proto, že to byla jen hra, duše se nebála, nebránila se jí a narkoticky jí propadala.

Mladík zavolal číšníka a zaplatil. Pak vstal a řekl dívce: „Můžeme jít.“

„Kampak,“ předstírala dívka údiv.

„Neptej se a běž,“ řekl mladík.

„Jak to se mnou mluvíte?“

„Jako s děvkou,“ řekl mladík.

10

Šli po špatně osvětleném schodišti: na odpočívadle pod prvním poschodím stála u záchodu skupina připilých mužů. Mladík chytil dívku zezadu kolem těla tak, že ji držel dlaní za prs. Muži kolem záchodku to viděli a začali pokřikovat. Dívka se chtěla vytrhnout, ale mladík ji okřikl: „Drž!“ Muži to kvitovali s obhroublou solidárností a adresovali dívce několik sprostých poselství. Mladík s dívkou došel do prvního poschodí a otevřel dveře do pokoje. Rozsvítil.

Byl to úzký pokoj s dvěma postelemi, stolkem, židlí a umývadlem. Mladík zamkl dveře a obrátil se k dívce. Stála proti němu ve vzdorovitém postoji s drzou smyslností v očích. Mladík se na ni díval a snažil se za lascívním výrazem objevit známé dívčiny rysy, které něžně miloval. Bylo to, jako by se díval na dva obrazy vložené do jednoho kukátka, na dva obrazy položené na sebe a prosvítající skrze sebe. Ty dva prosvítající obrazy mu říkaly, že v dívce je *vše*, že její duše je strašně amorfní, že se do ní vejde věrnost i nevěra, zrada i nevinnost, koketnost i cudnost; ta divoká směsice mu připadala hnusná jak pestrost smetiště. Oba obrazy stále prosvítaly jeden přes druhý a mladík chápal, že dívka se jen na povrchu odlišuje od jiných, ale ve svých rozsáhlých hlubinách je stejná jako jiné ženy, plná všech možných myšlenek, pocitů, neřestí, které dávají za pravdu všem jeho tajným pochybám a žárlivostem; že dojem kontur, které ji vymezují jako individualitu, je jen klam, jemuž podléhá ten druhý, ten, kdo se dívá, on. Zdálo se mu, že ta dívka, tak jak ji miloval, byla jen výtvorem jeho touhy, jeho abstrakce, jeho důvěry a že *skutečná* dívka stojí teď před ním a je beznadějně *cizí*, beznadějně *jiná*, beznadějně *mnohoznačná*. Nenáviděl ji.

„Na co čekáš? Svlékni se," řekl.

Dívka naklonila koketně hlavu a řekla: „Musí to být?"

Tón, jímž to řekla, zdál se mu velice známý, zdálo se mu, že mu to kdysi dávno řekla nějaká jiná žena, jenomže už nevěděl, která. Toužil ji ponížit. Ne stopařku, ale vlastní dívku. Hra splynula se životem vjedno. Hra na ponižování stopařky se stala jen záminkou pro ponižování dívky. Mladík zapomněl, že hraje. Nenáviděl prostě ženu, která stála před ním. Díval se na ni upřeně a vytáhl z náprsní tašky padesátikorunu. Podával ji dívce: „Stačí?"

Dívka vzala padesátikorunu a řekla: „Na moc mne neoceňujete."

Mladík řekl: „Za víc nestojíš."

Dívka se přivinula k mladíkovi: „Takhle na mne nemůžeš! Na mne musíš trošku jinak, musíš se trošku snažit!"

Objímala ho rukama a natahovala se ústy k jeho ústům. Položil jí na ústa prsty a jemně ji odstrčil. Řekl: „Líbám se jenom se ženami, které mám rád."

„A mě nemáš rád?"

„Ne."

„Koho máš rád?"

„Co je ti po tom. Svlékej se!"

11

Nikdy se tak nesvlékala. Plachost, pocit vnitřní paniky, ztřeštěnost, to všechno, co vždycky pociťovala, když se před mladíkem svlékala (a nemohla se krýt tmou), to všechno bylo pryč. Stála tu před ním sebevědomá, drzá, osvětlená a překvapená, kde najednou objevila dosud neznámá gesta pomalého, dráždivého svlékání. Vnímala jeho pohledy, odkládala mazlivě každou část oděvu a vychutnávala jednotlivá stadia obnažení.

Ale pak stála před ním pojednou úplně nahá a v té chvíli jí projelo hlavou, že tady už veškerá hra končí; že tak jako svlékla šaty, svlékla i přetvářku a je teď nahá, což znamená, že je teď sama sebou a mladík k ní musí přistoupit a udělat gesto, kterým všechno smaže a za kterým už bude následovat jen jejich nejdůvěrnější milování. Stála tedy před mladíkem nahá a přestala v té chvíli hrát; octla se v rozpacích a na její tváři se objevil úsměv, který náležel opravdu jen jí: plachý a zmatený.

Jenomže mladík k ní nepřistoupil a nesmazal hru. Nepostřehl důvěrně známý úsměv; viděl před sebou jen cizí krásné tělo své vlastní dívky, kterou nenáviděl. Nenávist opláchla jeho smyslnost ze všeho citového nánosu. Chtěla k němu přistoupit, ale řekl jí: „Zůstaň stát, kde jsi, chci tě dobře vidět.“ Toužil teď jen po tom, jednat s ní jako s placenou děvkou. Jenomže mladík neměl nikdy žádnou placenou děvku a představy o nich mu zprostředkovávala jen literatura a vyprávění. Obrátil se tedy do těch představ a první, co tam uviděl, byla žena v černém spodním prádle (a černých punčochách) tančící na lesklé desce klavíru. V hotelovém pokojíku klavír nebyl, byl tu jen stolek přistavený ke zdi, nevelký, přikrytý lněným ubrusem. Poručil dívce, aby na něj vylezla. Dívka udělala prosebné gesto, ale mladík řekl: „Dostalas zaplaceno.“

Když viděla v mladíkově pohledu neúplatnou posedlost, snažila se pokračovat dál ve hře, i když už nemohla a neuměla. Se slzami v očích vylezla na stůl. Deska byla velká sotva metr krát metr a jedna noha byla o maličko kratší; dívka stojící na stole měla pocit vratkosti.

Ale mladík byl spokojen s nahou postavou, která se teď tyčila nad ním a její stydlivá nejistota jen podněcovala jeho rozkazovačnost. Chtěl to tělo vidět ve všech polohách a ze všech stran, tak jak si představoval, že je viděli a budou vidět i jiní muži. Byl sprostý a lascívní. Říkal jí slova, která od něho v životě neslyšela. Chtěla se vzepřít, chtěla utéci ze hry, nazvala ho křestním jménem, ale on ji hned okřikl, že nemá právo ho nazývat tak důvěrně. A tak nakonec ve zmatku a vnitřním pláči poslouchala, předkláněla se i dřepala podle mladíkových přání, salutovala a zase se kroutila v bocích, aby mu předvedla twist; tehdy při trochu prudším pohybu sklouzl pod její nohou ubrus a málem upadla. Mladík ji zachytil a strhl na postel.

Spojil se s ní. Zaradovala se, že konečně alespoň nyní skončí nešťastná hra a budou to zase oni dva, takoví, jací byli a měli se rádi. Chtěla se k němu přisát ústy. Ale mladík jí odstrčil hlavu a opakoval, že líbá jen ženy, které má rád. Rozplakala se hlasitě. Ale ani pláč jí nebyl dopřán, protože mladíkova zuřivá vášeň si postupně získávala její tělo, které pak umlčelo nářek její duše. Na loži byla proti sobě brzy dvě těla dokonale spojená, smyslná a sobě cizí. Bylo to nyní právě to, čeho se dívka celý život nejvíce děsila a čemu se úzkostlivě vyhýbala: milování bez citu a bez lásky. Věděla, že přestoupila zakázanou hranici, ale pohybovala se za ní nyní už bez odmluv a v plné účastnosti; jenom kdesi daleko v koutku svého vědomí pociťovala hrůzu nad tím, že nikdy neměla takovou rozkoš a tolik rozkoše jako právě tentokrát — za tou hranicí.

12

Pak všecko skončilo. Mladík se zvedl z dívky a sáhl po dlouhé šňůře, která visela nad postelí; zhasl světlo. Nechtěl vidět dívčinu tvář. Věděl, že hra skončila, ale nechtělo se mu vracet do obvyklého vztahu k dívce; bál se toho návratu. Ležel teď ve tmě vedle dívky a ležel tak, aby se jejich těla nedotýkala.

Po chvíli uslyšel tiché vzlykání; dívčina ruka se nesměle, dětsky dotkla jeho ruky: dotkla se, stáhla, zase se dotkla a pak se ozval prosebný, vzlykavý hlas, který ho oslovil důvěrným jménem a říkal: „Já jsem já, já jsem já..."

Mladík mlčel, nehýbal se a uvědomoval si smutnou bezobsažnost dívčina tvrzení, v němž neznámé se definuje týmž neznámým.

A dívka přešla brzy ze vzlykotu do hlasitého pláče a tu jímavou tautologii opakovala ještě nesčetněkrát: „Já jsem já, já jsem já, já jsem já..."

Mladík začal přivolávat na pomoc soucit (musil ho přivolávat z dálek, protože nablízku nikde nebyl), aby mohl utišit dívku. Bylo před nimi ještě třináct dnů dovolené.

SYMPOSION

PRVNÍ JEDNÁNÍ

INSPEKČNÍ POKOJ

Inspekční pokoj lékařů (na libovolném oddělení libovolné nemocnice v libovolném městě) svedl dohromady pět postav a spletl jejich jednání a řeči v nicotný, a přece tím radostnější příběh.

Je tu doktor Havel a sestra Alžběta (oba mají toho dne noční službu) a jsou tu další lékaři (zavedla je sem jakási sotva důležitá záminka, aby u pár donesených lahví vína seděli s oběma sloužícími): plešatý primář téhož oddělení a sličná třicátnice, doktorka z jiného oddělení, o níž celá nemocnice ví, že s primářem chodí.

(Primář je ovšem ženatý a právě před chvílí pronesl svou oblíbenou sentenci, která má svědčit nejen o jeho duchaplnosti, ale i o jeho záměrech: „Drazí kolegové, největší neštěstí, jaké vás může potkat, je šťastné manželství: nemáte nejmenší naději na rozvod.“)

Kromě jmenovaných čtyř je tu ještě pátý, ale ten tu vlastně není, protože jako nejmladší byl právě poslán pro novou láhev. Dále je tu okno, důležité tím, že je otevřené a že jím ze setmělého venku nepřetržitě vstupuje do pokoje vonné a teplé léto s měsícem. A je tu konečně příjemná nálada, projevující se zálibnou žvanivostí všech, zejména však primáře, který poslouchá své vlastní průpovídky zamilovanýma ušima.

Až v průběhu večera (a zde vlastně teprv začíná náš příběh) lze zaznamenat jisté napětí: Alžběta pila víc, než by se slušelo na sestru, která má právě službu, a začala se nadto chovat vůči Havlovi s vyzývavou koketností, která se mu příčila a vyprovokovala ho k napomínavé invektivě.

HAVLOVO NAPOMENUTÍ

„Milá Alžběto, já vás nechápu. Denně se ryjete v hnisajících ranách, pícháte stařečky do svrasklých zadků, dáváte klystýry, vynášíte mísy. Osud vám poskytl záviděníhodnou příležitost pochopit lidskou tělesnost v celé její metafyzické marnosti. Ale vaše vitalita je nepoučitelná. Vaše urputná chuť být tělem a právě jen tělem se nedá ničím zviklat. Vaše prsa se umějí otřít i o muže, který stojí pět metrů od vás! Už se mi točí hlava z těch věčných kružnic, které opisuje v chůzi vaše neúnavná zadnice. K čertu, jděte ode mne! Ta vaše ňadra jsou všudypřítomná jak Bůh! Už před deseti minutami jste měla píchat injekce!"

DOKTOR HAVEL JE JAKO SMRT. BERE VŠECHNO

Když sestra Alžběta (okázale uražena) odešla z inspekčního pokoje, odsouzena propíchnout dva stařičké zadky, řekl primář: „Prosím vás, Havle, proč vy tak urputně odpíráte té ubohé Alžbětě?"

Doktor Havel usrkl vína a odpověděl: „Primáři, nehněvejte se na mne za to. To není v tom, že není hezká a má už leta. Věřte mi, že jsem měl ženy ještě škaredší a mnohem starší."

„Ano, to je o vás známo: jste jako smrt; berete všechno. Ale když berete všechno, proč neberete Alžbětu?"

„Asi je to v tom," řekl Havel, „že projevuje svou touhu tak výrazně, až se to podobá rozkazu. Říkáte, že jsem vůči ženám jako smrt. Jenomže ani smrt nemá ráda, když se jí poroučí."

PRIMÁŘŮV NEJVĚTŠÍ ÚSPĚCH

„Možná, že vám rozumím," odpověděl primář. „Když mi bylo o nějaký rok méně, znal jsem holku, která šla s každým, a protože byla hezká, usmyslil jsem si, že ji dostanu. A představte si, že mne odmítla. Šla s mými kolegy, se šoféry, s topičem, s kuchařem, i s nosičem mrtvol, jenom se mnou ne. Dovedete si to představit?“

„Ale jo,“ řekla doktorka.

„Abyste věděla,“ rozzlobil se primář, který své milence před lidmi vykal, „byl jsem tehdá pár let po promoci a byl jsem kanón. Věřil jsem, že každá žena je dosažitelná, a dařilo se mi to dokazovat na ženách poměrně těžko dosažitelných. A podívejte se, na této holce, tak snadno dosažitelné, jsem ztroskotal.“

„Jak vás znám, máte na to jistě svou teorii,“ řekl doktor Havel.

„Mám,“ odpověděl primář. „Erotika není jen žádostivost těla, ale ve stejné míře i žádostivost cti. Partner, kterého jste získal, který o vás stojí a miluje vás, to je vaše zrcadlo, míra toho, co jste a co znamenáte. V erotice hledáme obraz svého vlastního významu a váhy. Jenomže moje kurvička to měla těžké. Ona šla s každým, takže těch zrcadel bylo tolik, že dávala docela matoucí a mnohoznačný obraz. A pak: když jdete s každým, přestanete věřit, že by tak všední věc, jako je milování, mohla mít pro vás skutečný význam. A tak hledáte pravou významnost právě na opačné straně. Jasnou míru její lidské hodnoty mohl té kurvičce poskytnout jen ten, kdo o ni sice stál, ale koho ona sama odmítla. A protože se pochopitelně toužila sama před sebou stvrdit jako nejkrásnější a nejlepší, vybírala si toho jediného, kterého poctí svým odmítnutím, velice přísně a náročně. Když si nakonec vybrala mne, pochopil jsem, že je to mimořádná čest, a považuju to dosud za svůj největší erotický úspěch.“

„Umíte proměňovat podivuhodně vodu ve víno,“ řekla doktorka.

„Dotklo se vás, že nepovažuju za svůj největší úspěch vás?“ řekl primář. „Musíte mne pochopit. I když jste ctná žena, přece jen nejsem pro vás (ani nevíte, jak mne to rmoutí) váš první a poslední, kdežto pro tu kurvičku jsem byl. Věřte, že na mne nikdy nezapomněla a dodnes nostalgicky vzpomíná, jak mne odmítla. Ostatně vyprávěl jsem ten příběh jen proto, abych uvedl analogii k Havlovu odmítání Alžběty.“

CHVÁLA SVOBODY

„Proboha, primáři," zaúpěl Havel, „snad nechcete říct, že hledám v Alžbětě obraz svého lidského významu!"

„Zajisté ne," řekla doktorka kousavě. „Vždyť jste nám to už vysvětlil, Alžbětina vyzývavost vám připadá jako rozkaz, a vy si chcete ponechat iluzi, že si ženy vybíráte sám."

„Víte, když už o tom tak mluvíme, doktorko, není to tak," zamyslil se Havel. „To byl jen pokus o bonmot, když jsem vám říkal, že mi vadí Alžbětina vyzývavost. Po pravdě řečeno, brával jsem v životě ženy mnohem vyzývavější než ona, a jejich vyzývavost mi byla docela vhod, protože příjemně urychlovala průběh věcí."

„Tak k čertu, proč neberete Alžbětu?" zakřičel primář.

„Primáři, vaše otázka není tak hloupá, jak se mi zprvu zdálo, protože vidím, že je na ni vlastně těžko odpovědět. Když mám být upřímný, tak nevím, proč neberu Alžbětu. Bral jsem ženy ohavnější, starší i vyzývavější. Z toho plyne, že bych měl nutně brát i ji. Všichni statistikové by to tak vypočítali. Všechny kybernetické stroje by to tak určily. A vidíte, snad právě proto ji neberu. Snad jsem se chtěl vzepřít nutnosti. Nastavit nohu kauzalitě. Nabourat vypočitatelnost světového běhu rozmarností libovůle."

„Ale proč jste si k tomu vybral právě Alžbětu?" křičel primář.

„Právě proto, že je to bezdůvodné. Kdyby to mělo důvod, dal by se předem najít a mé počínání by se dalo předem určit. Právě v té bezdůvodnosti je ten cípeček svobody, který je nám dopřán a po kterém musíme urputně sahat, aby v tomto světě železných zákonů zůstalo trochu lidského nepořádku. Páni kolegové, ať žije svoboda," řekl Havel a smutně pozvedl sklenku k přípitku.

KAM SAHÁ ODPOVĚDNOST ČLOVĚKA

V té chvíli se objevila v místnosti nová láhev, která na sebe svedla veškeru pozornost přítomných lékařů. Půvabný vytáhlý mladíček, který s ní stál ve dveřích, byl medik Flajšman, praktikující na zdejším oddělení. Postavil ji pak (pomalu) na stůl, hledal (dlouho) vývrtku, potom ji nasadil (zvolna) na hrdlo láhve a (zdlouhavě) ji zavrtával do zátky, kterou pak (zamyšleně) vytáhl. Z uvedených závorek je zřejma Flajšmanova pomalost, která však mnohem spíš než o neohrabanosti svědčila o loudavém sebezalíbení, s nímž mladičký medik spočívavě pohlížel do svého nitra, přehlížeje bezvýznamné podrobnosti vnějšího okolí.

Doktor Havel pravil: „To všecko, co jsme tu kecali, byly hlouposti. Ne já Alžbětu, ale Alžběta odmítá mne. Bohužel. Je přece blbá do Flajšmana."

„Do mne?" pozvedl Flajšman hlavu od láhve, pak dlouhými kroky nesl vývrtku zpět na její místo, vrátil se zase ke stolku a naléval víno do sklenek.

„Vy jste dobrý," přidal se k Havlovi primář, aby pobavil své kolegy. „Všichni to vědí, jenom vy ne. Od chvíle, kdy jste se objevil na našem oddělení, není s ní k vydržení. Jsou to už dva měsíce."

Flajšman se podíval (dlouze) na primáře a řekl: „To já opravdu nevím." A pak dodal: „A taky mě to vůbec nezajímá."

„A co ty vaše ušlechtilé řeči? Co ty všechny vaše kdáky o úctě k ženám?" předstíral Havel velkou přísnost. „Působíte Alžbětě muka a nezajímá vás to?"

„Cítím k ženám lítost a nemohl bych jim nikdy vědomě ubližovat," řekl Flajšman. „Ale co působím bezděčně, mě nezajímá, protože je to mimo můj vliv, a proto taky mimo mou odpovědnost."

Pak vešla do místnosti Alžběta. Uvážila zřejmě, že bude nejlépe, když zapomene na urážku a bude se chovat, jako by se nic nestalo: proto se chovala mimořádně nepřirozeně. Primář jí přisunul židli ke stolu a nalil sklenku: „Pijte, Alžbětko, ať zapomenete na všechna příkoří."

„Samo," vrhla na něho Alžběta veliký úsměv a vypila sklenku.

A primář se obrátil znovu na Flajšmana: „Kdyby byl člověk odpověden jen za to, čeho je si vědom, byli by hlupáci předem zproštěni jakékoli viny. Jenomže, milý Flajšmane, člověk je povinen vědět.

Člověk odpovídá za svou neznalost. Neznalost je vina. A proto vás nic viny nezprošťuje, a já prohlašuju, že jste vůči ženám sprosťák, i když to popíráte."

CHVÁLA PLATONICKÉ LÁSKY

„Jestlipak jste už obstaral slečně Kláře ten podnájem, co jste jí sliboval?" zaútočil na Flajšmana Havel, připomenuv mu jeho marné dobývání jisté (všem přítomným známé) dívky.

„Neobstaral, ale obstarám."

„Náhodou Flajšman je vůči ženám džentlmen. Kolega Flajšman nevodí ženy za nos," zastala se medika doktorka.

„Nesnáším surovost vůči ženám, protože k nim cítím lítost," opakoval medik.

„A stejně vám Klára nedala," řekla Alžběta Flajšmanovi a velmi nevhodně se rozesmála, takže primář byl znovu nucen se ujmout slova:

„Dala nedala, to není vůbec tak důležité, Alžběto, jak si myslíte. Je známo, že Abelard byl vykastrován, a přece zůstali, on a Heloisa, nadále věrnými milenci, jejichž láska je nesmrtelná. Paní George Sandová žila sedm let s Frederykem Chopinem nedotčena jako panna, a kam se hrabete na jejich lásku! Ostatně nechci v této vznešené souvislosti uvádět případ kurvičky, která mi udělila nejvyšší milostnou poctu tím, že mne odmítla. Zapište si to za uši, má milá Alžběto, láska souvisí s tím, na co vy tak ustavičně myslíte, mnohem volněji, než se lidem zdá. Přece nepochybujete o tom, že Klára Flajšmana miluje! Je na něho milá, ale přesto mu odpírá. Vám to zní nelogicky, ale láska je právě to, co je nelogické."

„Co je na tom nelogického?" smála se znovu nevhodně Alžběta: „Klára stojí o byt. Proto je na Flajšmana milá. Ale spát se jí s ním nechce, protože má asi někoho jiného, s kým spí. Ale ten jí zas nemůže obstarat byt."

V té chvíli zvedl Flajšman hlavu a řekl: „Jdete mi na nervy. Jste jako v pubertě. Co když brání ženě stud? To vás nenapadne? Co když má nějakou nemoc, kterou přede mnou tají? Jizvu po operaci, která ji hyzdí? Ženy se umějí strašně stydět. Jenomže o tom vy, Alžběto, sotva něco víte."

„Anebo," přispěchal Flajšmanovi na pomoc primář, „Klára je tváří v tvář Flajšmanovi tak zkamenělá úzkostí lásky, že se s ním nemůže vůbec milovat. Vy si, Alžběto, nedovedete představit, že byste milovala někoho tak strašně moc, že byste se právě proto s ním nemohla vyspat?"

Alžběta prohlásila, že ne.

SIGNÁL

Na tomto místě můžeme na chvíli přestat sledovat rozhovor (neustávající ve svých nicotnostech) a zmínit se o tom, že Flajšman se po celou dobu snažil dívat do očí doktorce, neboť se mu zatraceně líbila už od té chvíle, kdy ji (bylo to asi před měsícem) poprvé uviděl. Vznešenost jejích třiceti let ho oslňovala. Znal ji dosud jen letmo a dnes poprvé měl příležitost trávit s ní delší čas ve stejné místnosti. Zdálo se mu, že i ona chvílemi opětuje jeho pohled, a byl tím vzrušen.

Po jednom takovém vzájemném pohledu doktorka zničehonic vstala, přistoupila k oknu a řekla: „Venku je nádherně. Je úplněk..." a zase pak zavadila o Flajšmana letmým pohledem.

Flajšman nebyl hluchý pro podobné situace a pochopil rázem, že je to signál — signál pro něho. Pocítil v té chvíli ve své hrudi dmutí. Jeho hruď byla totiž citlivým nástrojem, hodným dílny Stradivariho. Stávalo se, že v ní občas cítíval právě zmíněné povznášející dmutí, a byl si pokaždé jist, že to dmutí má nezvratnost věštby, jíž se ohlašuje příchod čehosi velkého a nebývalého, co převýší jeho sny.

Byl tentokrát dmutím jednak omámen, jednak (v tom koutku mysli, kam už omámení nedosáhlo) udiven: jak to, že jeho touha má takovou sílu, že na její zavolání skutečnost pokorně přiběhne připravena se stát? Dive se nadále své síle, dával pozor, až se rozhovor stane vzrušenější a debatéři si ho přestanou všímat. Jakmile se to stalo, vytratil se z místnosti.

KRÁSNÝ MLADÝ MUŽ S RUKAMA SLOŽENÝMA V KLÍNĚ

Oddělení, kde se odbývalo toto improvizované symposium, bylo v přízemí pěkného pavilónu, stojícího (poblíže jiných pavilónů) ve velké nemocniční zahradě. Do ní teď vstoupil Flajšman. Opřel se o vysoký kmen platanu, zapálil si cigaretu a pohlížel k obloze: bylo léto, vzduchem pluly vůně a na černé obloze visel kulatý měsíc.

Snažil se představit si průběh budoucích událostí: doktorka, která mu před chvílí naznačila, aby vyšel ven, vyčká okamžiku, až bude její plešatec zaujat rozhovorem víc než svou podezíravostí, a pak pravděpodobně nenápadně oznámí, že ji malá intimní potřeba nutí vzdálit se na okamžik ze společnosti.

A co bude dál? Dál už si úmyslně nic představovat nechtěl. Dmoucí se hruď mu oznamovala dobrodružství a to mu stačilo. Věřil ve své štěstí, věřil ve svou hvězdu lásky a věřil v doktorku. Hýčkán svou sebejistotou (sebejistotou vždy poněkud udivenou), oddával se příjemné pasivitě. Viděl totiž sám sebe vždycky jako muže přitažlivého, dobývaného, milovaného, a těšilo ho očekávat dobrodružství s rukama tak říkajíc složenýma v klíně. Věřil, že právě tento postoj dráždivě provokuje ženy i osud.

Stojí snad při této příležitosti za zmínku, že se Flajšman vůbec často, ne-li nepřetržitě (a se sebezalíbením), *viděl*, což ho ustavičně zdvojovalo a činilo jeho samotu docela zábavnou. Tentokrát například nejenže stál opřen o platan a kouřil, ale zároveň sám sebe se zalíbením pozoroval, jak stojí (krásný a chlapecký) opřen o platan a nonšalantně kouří. Těšil se hodnou chvíli tímto pohledem, až konečně uslyšel lehké kroky, jak jdou z pavilónu směrem k němu. Úmyslně se neobracel. Zatáhl ještě jednou z cigarety, vyfoukl dým a díval se na oblohu. Když se kroky přiblížily docela až k němu, řekl něžným, vemlouvavým hlasem: „Věděl jsem, že přijdete..."

MOČENÍ

„To nebylo tak těžké uhodnout," odpověděl mu primář, „dám totiž vždycky přednost močení v přírodě před civilizačními zařízeními, jež jsou nechutná. Zde mne zlatý pramínek zakrátko podivuhodně spojí s hlínou, trávou a zemí. Neboť, Flajšmane, z prachu jsem vzešel a do prachu se teď alespoň částečně navrátím. Přírodní močení je nábožný obřad, jímž slibujeme zemi, že se do ní jednou navrátíme celí."

Když Flajšman mlčel, otázal se ho primář: „A co vy? Šel jste se dívat na měsíc?" A když Flajšman dál zarytě mlčel, primář řekl: „Vy jste, Flajšmánku, velký lunatik. A já vás mám právě proto rád." Flajšman vnímal primářova slova jako výsměch, a chtěje být odměřený, řekl na půl úst: „Nechte měsíc na pokoji. Přišel jsem také močit."

„Flajšmánku," řekl primář rozněžněle, „chápu to od vás jako mimořádný projev přízně stárnoucímu šéfovi."

Stáli pak oba pod platanem provádějíce úkon, který primář s neustávajícím patosem a v nových a nových obrazech nazýval bohoslužbou.

DRUHÉ JEDNÁNÍ

KRÁSNÝ MLADÝ SARKASTICKÝ MUŽ

Potom se spolu vraceli dlouhou chodbou a primář držel medika bratrsky kolem ramene. Medik nepochyboval o tom, že žárlivý plešatec odhalil doktorčin signál a teď se mu svými přátelskými výlevy vysmívá. Nemohl ovšem šéfovi shodit ruku z ramene, ale tím víc zlosti se hromadilo v jeho nitru. A utěšovalo ho jen to, že nejenom *byl* pln zlosti, ale také se hned *viděl*, jak vypadá v tomto zlostném stavu, a byl spokojen s mladým mužem, který se vrací do inspekčního pokoje a k překvapení všech je náhle úplně jiný: břitce sarkastický, útočně vtipný, téměř démonický.

Když oba do inspekčního pokoje skutečně vstoupili, stála Alžběta uprostřed místnosti a strašlivě se prohýbala v pase, vydávajíc k tomu polohlasně jakési zpěvavé zvuky. Doktor Havel klopil zrak a doktorka, aby oba příchozí zbavila úleku, vysvětlila: „Alžběta tančí."

„Trochu se přiožrala," doplnil Havel.

Alžběta nepřestávala hýbat boky a kroužit přitom poprsím kolem sklopené hlavy sedícího Havla.

„Kdepak jste se naučila tak krásný tanec?" zeptal se primář.

Flajšman, nadýmaje se sarkasmem, vydal ze sebe okázalý smích: „Chachachá! Krásný tanec! Chachachá!"

„Viděla jsem to ve Vídni na striptýzu," odpověděla Alžběta primářovi.

„Ale, ale," pohoršil se primář něžně, „odkdypak chodí naše sestry na striptýz?"

„Snad to není zakázáno, pane primáři," zakroužila Alžběta poprsím kolem primáře.

Žluč stoupala ustavičně vzhůru Flajšmanovým tělem a toužila se prodrat ven jeho ústy. A tak Flajšman pravil: „Vy byste potřebovala bróm, a ne striptýz. Abychom se báli, že nás znásilníte!“

„Vy se bát nemusíte. Na cucáky nejdu,“ odsekla Alžběta a kroužila poprsím kolem Havla.

„A líbil se vám ten striptýz?“ vyptával se dál otcovsky primář.

„Líbil,“ opověděla Alžběta, „byla tam jedna Švédka s obrovskýma prsama, ale to já mám hezčí prsa“ (pohladila se při těch slovech po prsou), „a taky tam byla jedna holka, která dělala, jako by se koupala v samých mydlinkách v takové papírové vaně, a jedna mulatka, a ta onanovala před celým publikem, to bylo nejlepší ze všeho...“

„Chachá!“ řekl Flajšman na vrcholu ďábelského sarkasmu, „onanie, to je přesně to, co je pro vás!“

ŽAL VE TVARU ZADNICE

Alžběta pořád tančila, ale její publikum bylo pravděpodobně mnohem horší než publikum na vídeňském striptýzu: Havel klopil hlavu, doktorka se dívala posměšně, Flajšman odmítavě a primář s otcovskou shovívavostí. A Alžbětina zadnice potažená bílou látkou ošetřovatelské zástěry kroužila zatím místností jako krásně kulaté slunce, leč slunce vyhaslé a mrtvé (zahalené do bílého rubáše), slunce odsuzované lhostejnými a rozpačitými zraky přítomných lékařů k žalostné zbytečnosti.

V jednu chvíli se zdálo, že Alžběta začne opravdu shazovat součástky oděvu, takže se primář ozval stísněným hlasem: „Ale Alžbětko! Snad byste nám tady nechtěla tu Vídeň předvádět!“

„Co se bojíte, pane primáři! Uvidíte aspoň, jak má správně vypadat nahá ženská!“ hlaholila Alžběta, a pak se zase obrátila k Havlovi, ohrožujíc ho ňadry: „Copak, Havlíčku? Jsi tu jak na pohřbu! Zvedni tu svou hlavu! Copak ti někdo umřel? Někdo ti umřel? Podívej se na mě! Já přece žiju! Já neumírám! Já zatím ještě pořád žiju! Já žiju!“

a při těch slovech její zadnice už nebyla zadnice, ale sám žal, nádherně vykroužený žal, tančící pokojem.

„Měla byste toho nechat, Alžběto," řekl Havel směrem k parketám.

„Nechat?" řekla Alžběta, „vždyť tančím kvůli tobě! A teď ti předvedu striptýz! Veliký striptýz!" a rozvázala si vzadu zástěru a odhodila ji tanečním gestem na psací stůl.

Primář se znovu bázlivě ozval: „Alžbětko, bylo by to krásné, kdybyste nám předvedla striptýz, ale někde jinde. To víte, tady jsme na pracovišti."

VELIKÝ STRIPTÝZ

„Pane primáři, já vím, co smím!" odpověděla Alžběta. Byla teď ve svých bledě modrých služebních šatech s bílým límečkem a nepřestávala se vrtět.

Potom přiložila ruce k pasu a sunula je podél boků až nad hlavu; pak přejela pravou rukou vzhůru po vztyčené levé ruce a pak zas levou rukou po pravé ruce, načež udělala oběma rukama elegantní pohyb směrem k Flajšmanovi, jako by mu házela blůzu. Flajšman se polekal a trhl sebou. „Cucáku, pustils to na zem," zakřičela na něho.

Pak zase přiložila ruce k pasu a sunula je tentokrát dolů podél obou nohou; když byla zcela sehnuta, pozvedla postupně pravou a pak levou nohu; poté se zadívala na primáře a udělala prudký pohyb pravou rukou, jako by mu házela fiktivní sukni. Primář současně natáhl dopředu ruku s roztaženými prsty, které hned sevřel v pěst. Pak tu ruku položil na koleno a prsty druhé ruky poslal Alžbětě polibek.

Po chvíli dalšího vrtění a tančení se Alžběta vypjala na špičky, ruce ohnula v lokti a dala je za záda, snažíc se prsty dosáhnout co nejvýš po páteři; pak tanečními pohyby vrátila ruce dopředu, pohladila se pravou dlaní po levém rameni a levou dlaní po pravém rameni a zase udělala plavný pohyb rukou, tentokrát směrem k Havlovi, který také nepatrně a rozpačitě pohnul rukou.

Nyní se Alžběta vzpřímila a začala kráčet vznešeně po místnosti; obcházela všechny své čtyři diváky, vypínajíc postupně nad každým z nich imaginární nahotu svého poprsí. Nakonec se zastavila před Havlem, znovu se začala vrtět v bocích, a mírně se shýbajíc, sunula obě ruce podél boků dolů a zase (jako před chvílí) pozvedla nejdřív jednu, potom druhou nohu, a pak se vítězně vztyčila, vzpažujíc vzhůru pravou ruku, na níž k sobě tiskla palec a ukazováček. Tou rukou zase plavně hodila směrem k Havlovi.

Pak vypjata v celé slávě své fiktivní nahoty nedívala se už na nikoho, ani na Havla, jen přimhouřenýma očima své pootočené hlavy pohlížela dolů na vlastní kroutící se tělo.

Pak se najednou její pyšný postoj zlomil a Alžběta si sedla na klín doktora Havla; zívajíc řekla: „Jsem utahaná." Natáhla ruku po Havlově sklence a napila se. „Doktore," řekla Havlovi, „nemáš nějaký prášek na povzbuzení? Já přece nebudu spát!"

„Pro vás všechno, Alžbětko," řekl Havel, zvedl Alžbětu ze svého klína, posadil ji na židli a šel k lékárničce. Tam našel silné prášky na spaní a dva podal Alžbětě.

„Probere mne to?" zeptala se.

„Jako že jsem Havel," řekl Havel.

ALŽBĚTINA SLOVA NA ROZLOUČENOU

Když Alžběta zapila oba prášky, chtěla opět usednout na Havlův klín, ale Havel uhnul nohama, takže Alžběta spadla na zem.

Havlovi to přišlo okamžitě líto, protože vlastně vůbec neměl v úmyslu nechat Alžbětu takto potupně upadnout, a uhnul-li nohama, byl to spíš bezděčný pohyb, způsobený upřímnou nechutí dotýkat se nohama Alžbětina zadku.

Snažil se ji tedy nyní znovu pozvednout, ale Alžběta ulpívala v lítostivém vzdoru vší váhou na podlaze.

V tu chvíli si před ni stoupl Flajšman a řekl: „Jste opilá a měla byste jít spát."

Alžběta se na něho podívala ze země s nesmírným opovržením a (vychutnávajíc mazochistický patos svého bytí-na-zemi) řekla mu: „Surovče. Blbče." A ještě jednou: „Blbče."

Havel se ji pokusil znovu zvednout, ale vytrhla se mu zuřivě a začala štkát. Nikdo nevěděl, co říci, takže se štkaní ozývalo ztichlou místností jak sólové housle. Až pak napadlo doktorku, aby začala tiše hvízdat. Alžběta prudce vstala, šla ke dveřím, a když brala za kliku, pootočila se do místnosti a řekla: „Surovci. Surovci. Kdybyste věděli. Nic nevíte. Nic nevíte."

PRIMÁŘOVA OBŽALOBA FLAJŠMANA

Po jejím odchodu bylo ticho, které první přerušil primář: „Vidíte, Flajšmánku. Prý je vám líto žen. Ale když je vám jich líto, proč vám není líto Alžběty?"

„Co je mně po ní?" bránil se Flajšman.

„Nedělejte, že nic nevíte. Řekli jsme vám to před chvílí. Je do vás blbá."

„Můžu za to?" ptal se Flajšman.

„Nemůžete," řekl primář, „ale můžete za to, že jste k ní hrubý a že ji trápíte. Celý večer jí záleželo jen na tom, co uděláte vy, jestli se na ni podíváte, usmějete, jestli jí něco hezkého řeknete. A vzpomeňte si, co jste jí řekl."

„Nic tak strašného jsem jí neřekl," bránil se Flajšman, ale jeho hlas zněl značně nejistě.

„Nic tak strašného?" smál se primář. „Vysmíval jste se jejímu tanci, i když tančila jen kvůli vám, doporučoval jste jí bróm, tvrdil jste, že se pro ni hodí jen onanie. Nic strašného! Když dělala striptýz, pustil jste na zem její blůzu."

„Jakou blůzu?" bránil se Flajšman.

„Blůzu," řekl primář. „A nedělejte ze sebe blba. Nakonec jste ji poslal spát, ačkoli chvíli předtím zapila prášek proti únavě."

„Ale vždyť jela po Havlovi, ne po mně," bránil se pořád Flajšman.

„Nehrejte komedii," řekl primář přísně. „Co měla dělat, když jste si jí nevšímal? Provokovala vás. A netoužila po ničem jiném než po drobečku vaší žárlivosti. Vy džentlmene."

„Už ho netrapte, primáři," řekla doktorka. „Je krutý, ale zato je mladý."

„Je to trestající archanděl," řekl Havel.

MYTOLOGICKÉ ROLE

„Ano, opravdu," řekla doktorka, „podívejte se na něho; krásný, zlý archanděl."

„Jsme tu mytologická společnost," podotkl ospale primář, „protože ty jsi Diana. Frigidní, sportovní, zlomyslná."

„A vy jste satyr. Zestárlý, chlípný, užvaněný," řekla zase doktorka. „A Havel je Don Juan. Ne starý, ale stárnoucí."

„Kdepak. Havel je smrt," oponoval primář svou starou tezí.

KONEC DONŮ JUANŮ

„Mám-li rozsoudit, jsem-li Don Juan, či smrt, musím se přiklonit, i když nerad, k mínění primářovu," řekl Havel a pořádně se napil. „Don Juan. To byl přece dobyvatel. Dokonce s velkými písmeny. Veliký Dobyvatel. Ale prosím vás, jak chcete být dobyvatelem na území, kde se vám nikdo nebrání, kde je všechno možné a všechno je dovoleno? Éra Donů Juanů skončila. Dnešní Don Juanův potomek už *nedobývá*, nýbrž jen *sbírá*. Postavu Velkého Dobyvatele vystřídala postava Velkého Sběratele, jenomže Sběratel, to už právě vůbec není Don Juan. Don Juan byl postavou tragédie. Byl obtížen vinou. Vesele hřešil a smál se Bohu. Byl rouhač a skončil v pekle.

Don Juan nesl na bedrech dramatickou tíži, o které Velký Sběratel nemá ani tušení, protože v jeho světě veškerá tíže ztratila váhu. Z balvanů se stalo peří. Ve světě Dobyvatelově jediný pohled vážil tolik, co v říši Sběratelově deset let nejpilnější tělesné lásky.

Don Juan byl pán, kdežto Sběratel je otrok. Don Juan drze překračoval konvence a zákony. Velký Sběratel jen poslušně v potu tváře naplňuje konvenci a zákon, protože sběratelství se stalo dobrým mravem, bontónem a téměř povinností. Vždyť pokud jsem vůbec obtížen nějakou vinou, tak jen tím, že neberu Alžbětu.

Velký Sběratel nemá nic společného s tragédií ani s dramatem. Erotika, která bývala vějičkou katastrof, připodobnila se jeho zásluhou k snídaním a obědům, k filatelii, ping-pongu, ne-li k jízdě tramvají a k nakupování. Uvedl ji do koloběhu všednosti. Proměnil ji v kulisu a prkna scény, na kterou by skutečné drama mělo teprve vstoupit. Běda, přátelé," zvolal pateticky Havel, „mé lásky (smím-li je tak nazývat) jsou podlahou jeviště, na kterém se nic neodehrává.

Milá doktorko a milý primáři. Postavili jste Dona Juana a smrt do protikladu. Čirou náhodou a nedopatřením jste tak vystihli podstatu věci. Hleďte. Don Juan zápasil s nemožným. A to je právě velice lidské. Zato v říši Velkého Sběratele není nic nemožného, protože je to říše smrti. Velký Sběratel je smrt, která si přišla pro tragédii, pro drama, pro lásku. Smrt, která si přišla pro Dona Juana. V pekelném ohni, kam ho poslal komtur, je Don Juan živ. Ale ve světě Velkého Sběratele, kde vášně a city poletují prostorem jak peří, v tom světě je navždy mrtev.

Kdepak, milá paní doktorko," pokračoval smutně Havel, „kdepak já a Don Juan! Co bych za to dal, kdybych viděl komtura a pocítil na duši strašlivou tíhu jeho prokletí a cítil v sobě růst velikost tragédie. Kdepak, doktorko, já jsem tak nanejvýš postavou komedie, a ani za to snad nevděčím sobě, ale právě Donu Juanovi, protože jen na historickém pozadí jeho tragického veselí můžete jakž takž zavnímat komický smutek mé děvkařské existence, která bez této míry byla by jen šedou všedností a nudným pozadím."

DALŠÍ SIGNÁLY

Havel znaven dlouhou promluvou (během ní dvakrát poklesla ospalému primáři hlava) zmlkl. Teprve po náležité vteřině plné pohnutí ozvala se doktorka: „Netušila jsem, doktore, že umíte tak souvisle mluvit. Vylíčil jste se jako postava pro komedii, jako šeď, jako nuda a nula. Naneštěstí způsob, jak jste mluvil, byl poněkud příliš vznešený. To je ta vaše zatracená rafinovanost: nazvat se žebrákem, ale volit k tomu slova tak královská, abyste přece jen zůstal víc králem než žebrákem. Jste starý podvodník, Havle. Ješitný i ve chvílích, kdy se hanobíte. Jste starý, sprostý podvodník."

Flajšman se hlasitě zasmál, neboť se ke svému uspokojení domníval, že našel v doktorčiných slovech opovržení k Havlovi. Povzbuzen tedy doktorčiným výsměchem i vlastním smíchem, přistoupil k oknu a pravil významně: „Jaká noc!"

„Ano," řekla doktorka, „nádherná noc. A Havel si bude hrát na smrt! Všiml jste si vůbec, Havle, že je krásná noc?"

„Nikoli," řekl Flajšman, „pro Havla je žena jako žena, noc jako noc, zima jako léto. Doktor Havel odmítá rozeznávat nepodstatné podružnosti."

„Vystihl jste mne," řekl Havel.

Flajšman usoudil, že se tentokrát jeho setkání s doktorkou vydaří: primář toho už hodně vypil a zdálo se, že ospalost, která ho v posledních minutách přepadla, otupila značně jeho ostražitost; proto nenápadně prohodil: „Ach, ten můj měchýř!", a vrhnuv pohled na doktorku, vyšel ze dveří.

PLYN

Jda chodbou vybavoval si s potěšením, jak doktorka ironizovala po celý večer oba muže, primáře i Havla, kterého právě teď velice případně nazvala podvodníkem, a byl užaslý nad tím, jak se znovu opakuje to, čemu se pokaždé znovu diví právě proto, že se to tak pravidelně opakuje: líbí se ženám, dávají mu přednost před ostřílenými chlapy, což v případě doktorky, která je zřejmě mimořádně náročná žena, inteligentní a trochu (ale příjemně) povýšená, je triumf veliký, nový a nečekaný.

S takto naladěnou myslí šel tedy Flajšman dlouhou chodbou k východu. Když už byl téměř u kývacích dveří, vedoucích do zahrady, ucítil náhle zápach plynu. Zastavil se a čichal. Hustota pachu se soustředila ke dveřím vedoucím k pokojíku sester. Flajšman si najednou uvědomil, že se strašně polekal.

Chtěl nejdřív běžet rychle zpátky a přivolat sem primáře a Havla, ale pak se odhodlal chytit za kliku dveří (snad proto, že je předpokládal zamčené, ne-li zabarikádované). Ale kupodivu dveře se otevřely. V pokoji svítila silná stropní lampa a osvěcovala velké nahé ženské tělo, ležící na gauči. Flajšman se rozhlédl pokojem a skočil rychle k malému sporáčku. Otočil zpátky otevřený kohoutek plynu. Pak běžel k oknu a otevřel je dokořán.

POZNAMENÁNÍ V ZÁVORCE

(Dá se říci, že Flajšman jednal pohotově a celkem duchapřítomně. Jedinou věc však přece jen nestačil zaznamenat dostatečně chladnou myslí. Civěl sice plnou vteřinu na nahé Alžbětino tělo, ale naplňoval ho natolik úlek, že si pod jeho clonou vůbec neuvědomil to, co teprve my z výhodného odstupu můžeme plně vychutnat:

To tělo bylo nádherné. Leželo na zádech s hlavou mírně pootočenou na bok a také s jedním ramenem mírně přivráceným k druhému, takže se obě krásná ňadra tiskla k sobě a měla plný tvar. Jedna Alžbětina noha byla natažena a druhá mírně pokrčena v koleni, takže bylo možno zřít znamenitou plnost stehen i mimořádně hustou čerň klína.)

VOLÁNÍ O POMOC

Když otevřel dokořán okno a dveře, vyběhl Flajšman na chodbu a začal křičet. Všechno, co následovalo, odehrálo se pak už v rychlé věcnosti: umělé dýchání, telefon na interní oddělení, vozítko pro přesun nemocné, předání lékaři, bdícímu na interně, další umělé dýchání, vzkříšení, transfúze krve a konečně hluboké vydechnutí, když se Alžbětin život ukázal nad vší pochybu zachráněn.

TŘETÍ JEDNÁNÍ

CO KDO ŘEKL

Když vyšli všichni čtyři lékaři z interny na dvůr, vypadali vyčerpaně.

Primář řekl: „Pokazila nám symposion, Alžbětka."

Doktorka řekla: „Neukojené ženy přinášejí vždycky smůlu."

Havel řekl: „To je zvláštní. Musela si pustit plyn, abychom poznali, že má tak krásné tělo."

Na ta slova se podíval Flajšman na Havla (dlouze) a řekl: „Nemám už chuť na chlast ani na duchaplnosti. Dobrou noc." A dal se směrem k východu z nemocnice.

TEORIE FLAJŠMANOVA

Řeči kolegů připadaly Flajšmanovi hnusné. Viděl v nich bezcitnost stárnoucích lidí, surovost jejich věku, který se tyčil před jeho mladostí jako nepřátelská bariéra. Byl proto rád, že je sám, a šel úmyslně pěšky, protože chtěl plně prožít a vychutnat své rozrušení: se slastnou hrůzou si stále opakoval, že Alžbětu dělil jen nepatrný vlásek od smrti a že tou smrtí byl vinen on.

Věděl ovšem dobře, že sebevražda nemívá jedinou příčinu, nýbrž většinou celý trs, ale na druhé straně si nemohl nijak sám před sebou zapřít, že jednou (a pravděpodobně rozhodující) příčinou byl on sám jednak svou prostou existencí, jednak svým dnešním chováním.

Pateticky se teď obviňoval. Nazýval se sobcem ješitně zahleděným do svých milostných úspěchů. Vysmíval se tomu, jak se nechal zaslepit doktorčiným zájmem o sebe. Vyčítal si, že se mu Alžběta proměnila v pouhou věc, v nádobku, do níž vyléval svůj vztek, když mu žárlivý primář překazil noční schůzku. Jakým právem, jakým právem se takto choval k nevinnému člověku?

Mladý medik nebyl však primitivního ducha; každý jeho duševní stav obsahoval v sobě dialektiku tvrzení a námitky, takže také nyní vnitřnímu žalobci oponoval hned vnitřní obhájce: Zajisté že sarkasmy, jež adresoval Alžbětě, byly nemístné, ale sotva by měly tak tragické následky, nebýt toho, že ho Alžběta milovala. Může však Flajšman za to, že se do něho někdo zamiluje? Stává se tím snad za něho automaticky odpovědným?

U této otázky se zastavil a zdála se mu klíčem k celému tajemství lidské existence. Zastavil se teď dokonce v chůzi a s plnou vážností si odpovídal: Ne, neměl pravdu, když dnes primářovi namlouval, že neodpovídá za to, co působí bezděčně. Copak může sám sebe redukovat jen na to, co je vědomé a záměrné? I to, co působí nevědomě, patří přece do sféry jeho osobnosti, a kdo jiný by za to odpovídal? Ano, je vinen, že ho Alžběta milovala; je vinen za to, že to nevěděl; je vinen, že na to nedbal; je vinen. Stačil jen vlásek a mohl zabít člověka.

TEORIE PRIMÁŘOVA

Zatímco se Flajšman nořil do sebezpytujících úvah, primář, Havel a doktorka se vrátili do inspekčního pokoje a na víno už opravdu chuť neměli; chvíli mlčeli a pak Havel vzdychl: „Co jen to té Alžbětě prasklo v bedně."

„Jen žádná sentimentalita, doktore," řekl primář. „Když někdo dělá takové voloviny, bráním se tomu, aby mne to dojímalo. Ostatně kdybyste si nebyl postavil hlavu a vykonal s ní už dávno to, co se neostýcháte dělat se všemi jinými, nebylo by k tomu došlo."

„Děkuju vám, že jste mne učinil příčinou sebevraždy," řekl Havel.

„Buďme přesní," odpověděl primář, „nešlo o sebevraždu, nýbrž o sebevražednou demonstraci nastrojenou tak, aby ke katastrofě nedošlo. Milý doktore, když se chce někdo otrávit, tak především zamkne dveře. A nejen to, pěkně utěsní škvíry, aby plyn byl zjištěn co nejpozději. Jenomže Alžbětě nešlo o smrt, ale o vás.

Bůhvíkolik týdnů už se těšila, že bude mít dnes s vámi noční službu, a od počátku večera se na vás bezostyšně zaměřila. Ale vy jste byl zatvrzelý. A čím jste byl zatvrzelejší, tím víc ona pila a sahala ke křiklavějším a křiklavějším prostředkům: žvanila, tančila, chtěla dělat striptýz...

Vidíte, nakonec je v tom možná přece jenom něco dojemného. Když nemohla upoutat ani vaše oči, ani vaše uši, vsadila všechno na váš čich a pustila plyn. Než ho pustila, svlékla se. Věděla, že má krásné tělo, a chtěla vás donutit, abyste se o tom přesvědčil. Vzpomeňte si, jak ve dveřích říkala: *Kdybyste věděli. Vy nic nevíte. Vy nic nevíte.* Tak teď už to víte, Alžběta má ohavnou tvář, ale krásné tělo. Sám jste to přiznal. Vidíte, že neuvažovala tak docela hloupě. Možná, že si teď konečně dáte říct."

„Možná," pokrčil Havel rameny.

„Určitě," řekl primář.

TEORIE HAVLOVA

„To, co říkáte, primáři, má svou přesvědčivost, ale je v tom chyba: přeceňujete mou roli v této hře. Tady nešlo o mne. Nebyl jsem to přece jenom já, kdo odmítal s Alžbětou spát. S Alžbětou nechtěl spát nikdo.

Když jste se mne dnes ptal, proč nechci brát Alžbětu, říkal jsem vám jakési nesmysly o kráse libovůle a o svobodě, kterou si chci uchovat. Ale to byly jen hloupé duchaplnosti, kterými jsem zastíral pravdu, která je právě opačná a vůbec není lichotivá: odmítal jsem Alžbětu právě proto, že vůbec neumím být svoboden. Nespat s Alžbětou, to je totiž móda. Nikdo s ní nespí, a kdyby se s ní i někdo vyspal, nikdy by to nepřiznal, protože by se mu všichni smáli. Móda je strašný zupák a já jsem se jí otrocky podrobil. Alžběta je přitom zralá žena a lezlo jí to na mozek. A možná, že jí lezlo nejvíc na mozek právě *moje* odpírání, protože o mně je přece známo, že beru vše. Jenomže mně byla móda dražší než Alžbětin mozek.

A máte pravdu, primáři: Věděla, že má krásné tělo, a pokládala tedy svou situaci za čirý nesmysl a nespravedlnost a protestovala proti ní. Vzpomeňte si, jak po celý večer ustavičně poukazovala na své tělo. Když mluvila o Švédce na vídeňském striptýzu, hladila si svá ňadra a prohlásila, že jsou hezčí než Švédčina. Ostatně vzpomeňte si: její ňadra a zadek zaplnily dnes večer tento pokoj jako dav demonstrantů. Opravdu, primáři, to byla demonstrace!

A vzpomeňte si na ten její striptýz, jen si vzpomeňte, jak ho prožívala! Primáři, to byl ten nejsmutnější striptýz, jaký jsem viděl! Vášnivě se svlékala a zůstávala přitom stále v nenáviděném pouzdře svých ošetřovatelských šatů. Svlékala se a nemohla se svléknout. A přestože věděla, že se nesvleče, svlékala se, protože nám chtěla sdělit svou smutnou a nesplnitelnou touhu svlékat se. Primáři, ona se nesvlékala, ona zpívala o svém svlékání, o nemožnosti se svléknout, o nemožnosti se milovat, o nemožnosti žít! A my jsme ani to nechtěli vyslechnout a měli jsme sklopené a neúčastné hlavy."

„Vy romantický děvkaři! Vy opravdu věříte, že chtěla zemřít?" křičel na Havla primář.

„Vzpomeňte si," říkal Havel, „jak mi při tanci říkala: *Ještě žiju! Ještě zatím pořád žiju!* Vzpomínáte? Od chvíle, kdy začala tančit, věděla, co udělá."

„A proč chtěla umřít nahá, co? Jaké na to máte vysvětlení?"

„Chtěla vejít do náruče smrti, jako se vchází do náruče milence. Proto se svlékla, učesala, nalíčila..."

„A proto nechala odemknuto, že! Nenamlouvejte si, prosím vás, že chtěla opravdu zemřít!"

„Možná, že nevěděla docela přesně, co chce. Víte ostatně vy, co chcete? Kdo z nás to ví? Chtěla a nechtěla. Chtěla docela upřímně zemřít a zároveň (stejně upřímně) chtěla zadržet ten stav, kdy byla uprostřed činu vedoucího k smrti a kdy se cítila veliká tím činem. To víte, že netoužila, abychom ji viděli, až bude docela zhnědlá, páchnoucí a znetvořená. Chtěla, abychom ji viděli ve vší slávě, jak odplouvá ve svém krásném a nedoceněném těle souložit se smrtí. Chtěla, abychom aspoň v tuto tak podstatnou chvíli zazáviděli smrti to tělo a zatoužili po něm.“

TEORIE DOKTORČINA

„Milí pánové,“ ozvala se teď doktorka, která dosud mlčela a pozorně naslouchala oběma lékařům, „pokud to mohu jako žena posoudit, mluvili jste oba logicky. Vaše teorie samy o sobě byly přesvědčivé a udivující hlubokou znalostí života. Mají jedinou chybičku. Není na nich zbla pravdy. Alžběta totiž nechtěla spáchat sebevraždu. Ani skutečnou, ani demonstrativní. Žádnou.“

Doktorka vychutnávala chvíli efekt svých slov a pak pokračovala: „Milí pánové, čiší z vás špatné svědomí. Když jsme se vraceli zpátky z interny, vyhnuli jste se Alžbětinu pokoji. Ani jste ho už nechtěli vidět. Ale já jsem si ho dobře prohlédla, když jste Alžbětě dávali umělé dýchání. Na sporáku stál kastrólek. Alžběta si vařila kávu a usnula. Voda překypěla a uhasila plaménky.“

Oba lékaři spěchali s doktorkou do Alžbětina pokojíku, a opravdu: na hořáku stál malý kastrólek a zůstalo v něm dokonce trochu vody.

„Ale prosím vás, proč byla nahá?“ divil se primář.

„Dívejte se,“ ukázala doktorka do tří koutů pokoje: na zemi pod oknem ležely bledě modré šaty, nahoře z bílé skříňky s léky visela podprsenka a v opačném koutě na zemi se válely bílé kalhotky. „Alžběta odhazovala své odění na různé strany, což svědčí o tom, že si chtěla aspoň sama pro sebe uskutečnit striptýz, jemuž jste vy, opatrný primáři, zabránil.

Když byla nahá, pocítila patrně únavu. To jí nebylo vhod, protože se nijak nevzdávala nadějí na tuto noc. Věděla, že my všichni odejdem a Havel tu zůstane sám. Proto si přece vyžádala prášky na povzbuzení. Chtěla si tedy uvařit kávu a postavila kastrólek s vodou na hořák. Pak znovu uviděla své tělo a to ji vzrušilo. Milí pánové,

Alžběta měla před vámi všemi jednu výhodu. Viděla se bez vlastní hlavy. Byla si tedy absolutně krásná. Vzrušila se tím a ulehla lačně na gauč. Ale spánek ji přepadl patrně dřív než rozkoš."

„Určitě," vzpomněl si teď Havel, „vždyť já jsem jí dal prášky pro spaní!"

„To je na vás podobné," řekla doktorka. „Tak je vám ještě něco nejasné?"

„Je," řekl Havel. „Vzpomeňte si na ty její řeči: *Já ještě neumírám! Já žiju! Já zatím pořád žiju!* A ta její poslední slova: říkala je tak pateticky, jako by to byla slova na rozloučenou: *Kdybyste věděli. Vy nic nevíte. Vy nic nevíte."*

„Ale Havle," řekla doktorka, „jako byste nevěděl, že devadesát devět procent všech řečí jsou šplechty. Copak vy sám většinou nemluvíte, jenom abyste mluvil?"

Doktoři ještě chvíli povídali a pak vyšli všichni tři před pavilón; primář a doktorka podali Havlovi ruce a odcházeli pryč.

VŮNĚ PLULY NOČNÍM VZDUCHEM

Flajšman došel konečně do předměstské ulice, kde bydlil se svými rodiči v rodinném domku obklopeném zahradou. Otevřel branku, ale nešel dál do dveří, nýbrž usedl na lavičku, nad níž se pnuly růže, pečlivě ošetřované jeho maminkou.

Letní nocí pluly vůně květin a slova „vinen", „sobectví", „milován", „smrt" stoupala vzhůru Flajšmanovou hrudí a naplňovala ho povznášející slastí, takže měl dojem, jako by mu ze zad vyrůstala křídla.

V přívalu melancholického štěstí si uvědomil, že je milován jako nikdy dosud. Zajisté, již několik žen mu projevilo svou náklonnost, ale bude teď k sobě ledově pravdivý: byla to vždycky láska? nepodléhal někdy iluzím? nenamlouval si někdy víc, než byla pravda? třeba Klára, nebyla opravdu víc vypočítavá než zamilovaná? nezáleželo jí opravdu spíš na bytu, který jí sháněl, než na něm? Ve světle Alžbětina činu všechno bledlo.

Vzduchem plula samá velká slova a Flajšman si říkal, že láska má jedinou míru, a tou je smrt. Na konci pravé lásky je smrt, a jenom ta láska, na jejímž konci je smrt, je láskou.

Vzduchem pluly vůně a Flajšman se ptal: bude ho vůbec někdo tak milovat, jako tato nepěkná žena? Ale co je krása či nekrása proti lásce? Co je škaredost tváře proti citu, v jehož velikosti se zrcadlí samo absolutno?

(Absolutno? Ano. Byl to chlapec teprve nedávno vyvržený do dospělého světa plného nejistot. Ať se honil jakkoli za dívkami, hledal především útěšnou náruč, nekonečnou a nesmírnou, která by ho vykoupila z pekelné relativity čerstvě objeveného světa.)

SYMPOSION

ČTVRTÉ JEDNÁNÍ

DOKTORČIN NÁVRAT

Doktor Havel ležel již chvíli na gauči, přikryt lehkou vlněnou dekou, když uslyšel zaťukání na okno. Ve světle měsíce uviděl doktorčinu tvář. Otevřel okno a ptal se: „Co je?"

„Pusťte mne dovnitř!" řekla doktorka a spěchala ke vchodu do budovy.

Havel si zapjal rozepnuté knoflíky na košili a vzdychnuv vyšel z pokoje.

Když odemkl dveře pavilónu, doktorka se bez valného vysvětlování hrnula dál, a teprve až se usadila v inspekčním pokoji do křesla naproti Havlovi, začala vysvětlovat, že ani nemohla dojít domů; teprve teď prý cítí, jak je rozrušena; nemohla by vůbec spát a prosí Havla ještě o trochu řeči, aby se uklidnila.

Havel nevěřil ani slova z toho, co doktorka povídala, a byl tak neslušný (či neopatrný), že to bylo z výrazu jeho tváře patrno.

Doktorka proto pravila: „Vy mi ovšem nevěříte, protože jste přesvědčen, že jsem přišla jenom proto, abych se s vámi vyspala."

Doktor udělal odmítavé gesto, ale doktorka pokračovala: „Vy domýšlivý Done Juane. Samozřejmě. Všechny ženy, které vás uvidí, nemyslí na nic jiného než na to. A vy unuděně a ztrápeně vykonáváte své smutné poslání."

Havel udělal znovu odmítavé gesto, ale doktorka, když si zapálila cigaretu a nonšalantně vydechla dým, pokračovala: „Vy ubohý Done Juane, nebojte se, nepřišla jsem vás obtěžovat. Nejste totiž vůbec jako smrt. To jsou jenom bonmoty našeho drahého primáře. Neberete všechno, protože ne každá vám dovolí, abyste bral. Ručím vám, že například já jsem vůči vám docela imunní."

„To jste mi přišla říct?"

„Třeba to. Přišla jsem vás utěšit, že nejste jako smrt. Že já bych se brát nedala."

HAVLOVA MRAVNOST

„To jste hodná," řekl Havel. „Jste hodná, že byste se nedala brát a že jste mi to přišla říct. Já totiž opravdu nejsem jako smrt. Nejenomže neberu Alžbětu, ale ani vás bych nebral."

„Ó," podivila se doktorka.

„Tím nechci říct, že se mi nelíbíte. Spíš naopak."

„Proto," řekla doktorka.

„Ano, líbíte se mi velice."

„Tak proč byste mne nebral? Protože já sama o vás nestojím?"

„Ne, myslím, že s tím to nemá nic společného," řekl Havel.

„Tak s čím?"

„Chodíte s primářem."

„No a?"

„Primář na vás žárlí. Primáře by to mrzelo."

„Vy máte morální zábrany?" smála se doktorka.

„Víte," řekl Havel, „měl jsem za život přece jen dost pletek se ženskýma, a to mne naučilo vážit si přátelství mezi mužem a mužem. Tento vztah nepocákaný blbstvím erotiky je ta jediná hodnota, kterou jsem poznal v životě."

„Primáře pokládáte za přítele?"

„Primář pro mne mnoho udělal."

„Pro mne rozhodně víc," namítla doktorka.

„Možná," řekl Havel, „ale vždyť nejde o vděčnost. Mám ho prostě rád. Je to výborný chlap. A na vás lpí. Kdybych o vás nějak usiloval, musil bych se považovat za darebáka."

POMLOUVÁNÍ PRIMÁŘE

„Netušila jsem," řekla doktorka, „že se od vás doslechnu tak vřelé ódy na přátelství. Dostáváte pro mne, doktore, docela novou, nečekanou podobu. Nejenže máte přece jen proti všemu očekávání schopnost citu, ale věnujete jej (a to je dojemné) starému, šedivému, oplešatělému pánovi, který je už pozoruhodný jen svou komičností. Všiml jste si ho dnes? Jak se ustavičně předvádí? Pořád se snaží dokázat několik věcí, které mu nikdo nevěří:

Především chce dokázat, že je duchaplný. Všiml jste si? Neustále žvanil, bavil společnost, dělal bonmoty, doktor Havel je jako smrt, vymýšlel paradoxy o neštěstí šťastného manželství (jako bych to neslyšela už popadesáté!), snažil se vodit Flajšmana za nos (jako kdyby k tomu bylo nějaké duchaplnosti potřebí!).

Za druhé se snaží ukázat, že je kamarádský. Ve skutečnosti samozřejmě nemá rád nikoho, kdo má na hlavě vlasy, ale tím víc se snaží. Lichotil vám, lichotil mně, byl otcovsky něžný k Alžbětě, a i z Flajšmana si utahoval jen tak opatrně, aby to Flajšman nepostřehl.

A za třetí a hlavně se snaží dokázat, že je kanón. Snaží se zoufale zakrýt svůj dnešní zjev svou někdejší podobou, která už bohužel není a kterou nikdo z nás nepamatuje. Přece jste si všiml, jak hbitě udal příhodu o kurvičce, která ho odmítla, jen proto, aby při té příležitosti mohl vyvolat svou mladistvou neodolatelnou tvář a přikrýt jí svou žalostnou pleš."

OBRANA PRIMÁŘE

„To všechno, co říkáte, je téměř pravdivé, doktorko," odvětil Havel. „Jenomže to všechno poskytuje jen další dobré důvody, proč mám primáře rád, protože to všechno je mi bližší, než tušíte. Proč bych se měl posmívat pleši, která mne nemine? Proč bych se měl posmívat té usilovné primářově snaze nebýt tím, kým je?

Starý člověk se buď smíří, že je tím, čím je, tím žalostným úbytkem sebe sama, anebo se nesmíří. Ale co má dělat, nesmíří-li se? Nezbývá mu než dělat, že není, čím je. Nezbývá mu než vytvářet namáhavým předstíráním všechno to, co už není, co je ztraceno; vymýšlet, vytvářet a předvádět svou veselost, vitalitu, kamarádskost. Vyvolávat svůj mladistvý obraz a snažit se s ním splynout a zaměnit se s ním. V té primářově komedii vidím sám sebe, svou vlastní budoucnost. Budu-li mít ovšem dost sil vzepřít se rezignaci, která je určitě horším zlem než tato smutná komedie.

Možná, že jste odhalila primáře správně. Ale já ho mám takto ještě raději a nikdy bych mu nemohl ublížit, z čehož plyne, že bych nikdy nemohl mít nic s vámi."

DOKTORČINA ODPOVĚĎ

„Milý doktore," pravila doktorka, „mezi námi je méně rozporů, než se domníváte. Vždyť i já ho mám ráda. Vždyť i mně je ho líto jako vám. A vděčná mu mám být za víc než vy. Bez něho bych tu nebyla na tak dobrém místě. (To přece víte, to vědí všichni až moc dobře!) Myslíte si, že ho vodím za nos? že mu zanáším? že mám jiné milence? S jakým gustem by mu to všichni donesli! Nechci ublížit jemu ani sobě, a proto jsem spoutanější, než si umíte představit. Jsem docela spoutaná. Ale jsem ráda, že jsme si my dva teď porozuměli. Protože vy jste jediný člověk, s kterým si mohu dovolit být primářovi nevěrná. Vy ho totiž máte opravdu rád a vy byste mu nikdy neublížil. Vy budete úzkostlivě diskrétní. Na vás se mohu spolehnout. S vámi se mohu milovat..." a sedla si Havlovi na klín a začala ho rozpínat.

CO DĚLAL DOKTOR HAVEL?

Ach, to je mi otázka...

PÁTÉ JEDNÁNÍ

VE VÍRU UŠLECHTILOSTI

Po noci přišlo jitro a Flajšman šel do zahrádky, aby nařezal kytici růží. Pak odjel tramvají do nemocnice.

Alžběta ležela ve zvláštním pokojíku na interním oddělení. Flajšman si sedl k její posteli, položil kytici na noční stolek a chytil ji za ruku, aby jí spočítal tep.

„Tak co, už je vám lépe?" zeptal se pak.

„Ale jo," řekla Alžběta.

A Flajšman řekl procítěně: „Takové hlouposti jste neměla dělat, děvčátko."

„No jo," řekla Alžběta, „když já jsem usnula. Postavila jsem si na kávu a usnula jsem jako blbec."

Flajšman zůstal na Alžbětu civět, protože takovou ušlechtilost neočekával: Alžběta ho nechtěla tížit výčitkami svědomí, nechtěla ho tížit svou láskou a zapřela ji!

Pohladil ji po tváři a unesen citem, začal jí tykat: „Já vím všechno. Nemusíš lhát. Ale děkuji ti i za tu lež."

Chápal, že takovou noblesu, obětavost a ohleduplnost nenajde u žádné jiné ženy, a zaplavila ho strašná chuť podlehnout návalu zbrklosti a poprosit ji, aby se stala jeho ženou. V poslední chvíli se však ovládl (na žádost o sňatek je vždycky dost času) a řekl jen toto:

„Alžběto, Alžběto, děvčátko. Ty růže jsem donesl pro tebe."

Alžběta civěla na Flajšmana a řekla: „Pro mne?"

„Ano, pro tebe. Protože jsem šťasten, že jsem tu s tebou. Protože jsem šťasten, že vůbec jsi. Alžbětko. Možná, že tě mám rád. Možná, že tě mám velice rád. Ale snad právě proto bude lépe, zůstaneme-li tak, jak jsme. Možná, že jsou si muž a žena bližší, když spolu nežijí a když o sobě jen vědí, že jsou, a když jsou si vděčni za to, že jsou a že o sobě vědí. A stačí jim ke štěstí právě jen to. Děkuji ti, Alžbětko, děkuji ti, že jsi."

Alžběta ničemu nerozuměla, ale tváří se jí šířil blažený, blbý úsměv plný neurčitého štěstí a nejasné naděje.

Pak Flajšman vstal, stiskl Alžbětě rameno (na znamení diskrétní zdrženlivé lásky), obrátil se a odešel.

NEJISTOTA VŠECH VĚCÍ

„Naše krásná paní kolegyně, která dnes úplně září mládím, podala možná opravdu nejsprávnější výklad událostí," řekl primář doktorce a Havlovi, když se všichni tři sešli na oddělení. „Alžběta si vařila kávu a usnula. Aspoň to sama tvrdí."

„Vidíte," řekla doktorka.

„Nic nevidím," oponoval primář. „Nakonec totiž nikdo nic neví, jak to doopravdy bylo. Kastrólek mohl stát na sporáku už předtím. Když si chtěla Alžběta pustit plyn, proč by ho kvůli tomu dávala pryč?"

„Ale vždyť to tak sama vysvětluje!" namítla doktorka.

„Když se nám patřičně předvedla a patřičně nás postrašila, proč by to nakonec nesvedla na kastrólek? Nezapomínejte, že sebevrahové se u nás posílají na léčení do blázince. Tam se nikomu nechce."

„Vám se zalíbilo v sebevraždách, primáři," řekla doktorka.

A primář se zasmál: „Chtěl bych jednou pořádně obtížit Havlovo svědomí!"

HAVLOVO POKÁNÍ

Havlovo špatné svědomí uslyšelo v primářově větě zašifrovanou výčitku, kterou ho tajně napomínají nebesa, a řekl: „Primář má pravdu. Nemusel to být sebevražednýý pokus, ale mohl. Ostatně mám-li být upřímný, nezazlíval bych ho Alžbětě. Řekněte mi, kde je v životě taková hodnota, pro niž bychom mohli považovat sebevraždu za zásadně nemístnou! Láska? Anebo přátelství? Ručím vám, že přátelství není o nic méně vratké než láska a nelze na něm stavět nic. Anebo aspoň sebeláska? Kdyby aspoň sebeláska. Primáři," řekl teď Havel téměř vroucně a znělo to jako pokání, „primáři, přísahám ti, že se vůbec nemám rád."

„Milí pánové," řekla doktorka s úsměvem, „jestli vám to učiní svět krásnější a spasí to vaše duše, prosím, dohodněme se na tom, že Alžběta chtěla opravdu spáchat sebevraždu. Souhlasíte?"

HAPPY END

„Nesmysl," mávl rukou primář, „nechte toho. Vy, Havle, neznečišťujte svými řečmi vzduch krásného jitra! Jsem o patnáct let starší než vy. Pronásleduje mne smůla, protože žiji ve šťastném manželství a nikdy se nebudu moct rozvést. A mám nešťastnou lásku, protože žena, kterou miluji, je naneštěstí tato doktorka. A přesto se mi líbí na světě, vy chytráku jeden!"

„Správně, správně," řekla doktorka primářovi s nebývalou něhou a chytla ho za ruku: „I mně se líbí na světě!"

V tu chvíli přišel k trojici lékařů Flajšman a řekl: „Byl jsem u Alžběty. Je to úžasně čestná žena. Všechno zapřela. Všechno vzala na sebe."

„Vidíte," smál se primář, „a tady Havel nás bude všechny lákat k sebevraždě!"

„Ovšem," řekla doktorka a přistoupila k oknu. „Bude zas krásný den. Venku je tak modro. Co tomu říkáte, Flajšmánku?"

Ještě před chvílí si Flajšman málem vyčítal, že jednal chytrácky, když všechno odbyl jen kyticí růží a několika pěknými slovy, ale teď byl rád, že se neunáhlil. Slyšel doktorčin signál a znamenitě mu rozuměl. Nit dobrodružství se navazuje na tom místě, kde byla včera přestřižena, když jeho setkání s doktorkou zmařil plyn. Neudržel se, aby se na doktorku neusmál i před tváří žárlivého primáře.

Příběh tedy pokračuje tam, kde včera skončil, a přece se Flajšmanovi zdá, že do něho vstupuje mnohem starší a mnohem silnější. Má za sebou lásku velikou jak smrt. Dmula se mu hruď a bylo to nejkrásnější a největší dmutí, jaké doposud zažil. Neboť to, co ho tak slastně nadýmalo, byla smrt; smrt jemu darovaná, nádherná a posilující smrt.

AŤ USTOUPÍ STAŘÍ MRTVÍ MLADÝM MRTVÝM

Ať ustoupí staří mrtví mladým mrtvým

1

Vracel se domů ulicí malého českého města, kde už několik let žil smířen s nepříliš rušným životem, klepavými sousedy i monotónním hulvátstvím, jež ho obklopovalo v zaměstnání, a šel tak nevšímavě (jako se chodí cestou stokrát prochozenou), že ji téměř minul. Zato ona ho poznala už zdaleka, a jdouc proti němu, dívala se na něho s mírným úsměvem, který teprve v poslední chvíli, až už se téměř minuli, dopadl k signálnímu zařízení v jeho paměti a vytrhl ho z dřímotného stavu.

„Nemohl jsem vás poznat!" omlouval se, ale byla to hloupá omluva, protože je dostala skokem k trapnému tématu, o němž bylo radno spíš mlčet: neviděli se patnáct let a oba za tu dobu zestárli. „Tolik jsem se změnila?" zeptala se a on odpověděl, že ne, a i když to byla lež, nebyla to lež naprostá, protože ten mírný úsměv (vyjadřující cudně a umírněně schopnost jakéhosi věčného nadšení) přicházel sem z dálky mnoha let ničím nezměněný a mátl ho: vyvolával mu totiž tak zřetelně někdejší podobu této ženy, že musil vyvinout určité úsilí, aby si ho odmyslel a viděl ji takovou, jaká v této chvíli byla: byla to už téměř stará žena.

Zeptal se jí, kam jde a co má na programu, a ona mu odpověděla, že tu měla nějaké vyřizování a že jí nyní nezbývá než čekat na vlak, který ji má k večeru odvézt zpátky do Prahy. Projevil radost nad jejich nenadálým setkáním, a protože se shodli (plným právem) na tom, že zdejší dvě kavárny jsou přeplněné a špinavé, pozval ji k sobě do své garsoniéry, která je nedaleko odtud a v níž má kávu, čaj — a hlavně čisto a klid.

2

Byl to dnes pro ni od samého počátku špatný den. Její manžel (je to už třicet let, co tu s ním jako novomanželka krátký čas žila, aby se s ním pak přestěhovala do Prahy, kde jí před deseti lety zemřel) byl pochován dík podivínskému přání v poslední vůli na zdejším hřbitově. Zaplatila tehdy hrob na deset let dopředu a před několika dny se lekla, že lhůta uplynula a že zapomněla nájem prodloužit. Chtěla nejdřív napsat na zdejší hřbitovní správu, ale pak si uvědomila, jak nekonečná a marná je korespondence s úřady, a rozjela se sem.

Cestu k manželovu hrobu znala zpaměti, a přesto si dnes najednou připadala, jako by byla na tomto hřbitově poprvé. Nemohla hrob najít a zdálo se jí, že bloudí. Až po chvíli pochopila: tam, kde býval šedý pískovcový pomník se zlatým jménem jejího manžela, přesně na tom místě (poznala bezpečně oba sousední hroby) stál teď pomník z černého mramoru s docela jiným pozlaceným jménem.

V rozčilení odešla na hřbitovní správu. Tam jí řekli, že po vypršení nájmu se hroby automaticky likvidují. Vyčítala jim, že ji předem neupozornili na to, že má nájem prodloužit, a oni jí odpověděli, že mají na hřbitově málo místa a že *staří mrtví by měli ustupovat mladým mrtvým.* Rozhořčilo ji to a řekla jim, přemáhajíc pláč, že nevědí zhola nic o lidskosti a úctě k člověku, ale pak pochopila, že rozhovor je zbytečný. Stejně jako nemohla zabránit smrti svého muže, tak je bezbranná i vůči jeho druhé smrti, té smrti „starého mrtvého“, který teď nesmí existovat už ani jako mrtvý.

Odešla do města a do její lítosti se začala rychle mísit bojácná starost, jak vysvětlí svému synovi zmizení otcova hrobu a jak před ním ospravedlní své opomenutí. Nakonec na ni padla únava: nevěděla, jak stráví dlouhý čas do odjezdu vlaku, protože tu už nikoho neznala, a ani k sentimentální procházce ji tu nic nevábilo, protože město se za ta léta příliš proměnilo a kdysi známá místa k ní teď obracela docela cizí tvář. Přijala proto vděčně pozvání starého (polozapomenutého) známého, kterého nenadále potkala: mohla si umýt v koupelně ruce a sedět pak v měkkém křesle (bolely ji nohy), prohlížet si pokoj a poslouchat, jak za plentou, jež oddělovala kuchyňský kout od pokoje, bublá vařící voda postavená na kávu.

3

Přednedávnem mu bylo pětatřicet let, a právě v té době najednou zjistil, že mu na temeni velice viditelně zřídly vlasy. Nebyla to ještě docela pleš, ale byla už docela představitelná (pod vlasy prosvítala kůže), a hlavně zcela jistá a nedaleká. Je to zajisté směšné, dělat životní problém z řídnoucích vlasů, jenomže on si uvědomil, že s pleší se změní jeho tvář, a že tedy život jedné jeho podoby (a zřejmě té lepší) je těsně před koncem.

A tu mu vytanuly úvahy o tom, jaká je vlastně bilance této jeho odcházející (vlasaté) podoby, co vlastně zažila a užila, a ochromilo ho vědomí, že toho užila dost málo; když na to pomyslil, cítil, jak rudne; ano, bylo mu stydno: protože žít tu na zemi tak dlouho a prožít tak málo — to je potupné.

Co tím vlastně mínil, říkal-li si, že prožil málo? Mínil tím cestování, práci, veřejnou činnost, sport, ženy? Mínil tím ovšem to vše, ale přece jen především ženy, protože byl-li v jiných oblastech jeho život chudý, trápilo ho to sice, ale nemusil si to klást sám sobě za vinu: nemohl přece za to, že jeho povolání bylo nezajímavé a bez vyhlídek; nemohl za to, že na cestování neměl peníze ani kádrové vysvědčení; nemohl konečně ani za to, že si ve dvaceti zranil meniskus a musil se vzdát sportů, jež měl rád. Zato říše žen byla pro něho říší relativní svobody a neměl se tu proto na co vymlouvat; zde mohl prokázat svou bohatost; ženy se pro něho staly jediným oprávněným měřítkem životní *hustoty*.

Ale smůla byla v tom, že právě s ženami to přitom bylo jaksi špatné: do pětadvaceti (ač byl pohledný chlapec) ho spoutávala tréma; pak se zamiloval, oženil a po sedm let sám sebe přesvědčoval, že v jedné ženě je možno najít erotické nekonečno; pak se rozvedl, apologetika jednoženství (i iluze nekonečna) se rozplynula a místo ní přišla příjemná chuť i smělost na ženy (na pestrou konečnost jejich množství), naneštěstí však silně přibrzďovaná špatnou finanční situací (musil platit bývalé ženě alimenty na dítě, které směl vidět jednou, dvakrát za rok) i poměry malého města, v němž zvědavost sousedů je stejně nesmírná jako výběr žen nepatrný.

A to už šel čas velmi rychle a najednou stál v koupelně před oválným zrcadlem umístěným nad umyvadlem, v pravé ruce držel nad hlavou kulaté zrcátko a uhranut pozoroval počínající pleš; ten pohled ho náhle (bez přípravy) seznámil s banální pravdou, že co se zameškalo, nedá se dohnat. Octl se v chronicky špatné náladě a napadaly ho dokonce myšlenky na sebevraždu. Samozřejmě (a jest třeba to podtrhnout, abychom v něm neviděli hysterika nebo hlupáka): uvědomoval si jejich komičnost a věděl, že je nikdy neuskuteční (smál se v duchu vlastnímu dopisu na rozloučenou: *Nemohl jsem se smířit s lysinou. Sbohem!*), ale dosti na tom, že ho ty myšlenky, ať jakkoli platonické, vůbec napadaly. Snažme se mu porozumět: Ozývaly se v něm asi tak, jako se ozve v maratónském běžci neodolatelná touha vzdát závod, když uprostřed trati zjistí, že hanebně (a ještě ke všemu vlastní vinou, vlastními kiksy) prohraje. I on považoval svůj závod za prohraný a nechtělo se mu dál běžet.

A teď se shýbal nad malý stolek a stavěl jeden šálek kávy před gauč (kam se pak sám posadil), druhý před pohodlné křeslo, v němž seděla návštěvnice, a říkal si, že je v tom zvláštní zlomyslnost, jestliže tuto ženu, do níž byl kdysi po uši zamilovaný a kterou si tehdy nechal (vlastní vinou, vlastními kiksy) ujít, potkává právě v tomhle rozpoložení a v době, kdy už se nedá nic napravit.

4

Sotva by byla uhodla, že se mu jeví jako *ta, která mu unikla*; věděla přece stále o noci, kterou spolu strávili, pamatovala si jeho tehdejší zjev (bylo mu dvacet, neuměl se oblékat, červenával se a bavil ji svým chlapectvím) a pamatovala si i samu sebe (bylo jí tehdy skoro čtyřicet a jakási touha po kráse ji hnala do náručí cizích mužů, ale zároveň ji hnala i z nich; představovala si totiž vždycky, že by se její život měl podobat *krásnému tančení* a bála se proměnit manželské nevěry v škaredý zvyk).

Ano, nařídila si krásu, jako si lidé nařizují mravní přikázání; kdyby uviděla ve vlastním životě ošklivost, propadla by asi zoufalství. A protože si teď byla vědoma, že po patnácti letech musí připadat svému hostiteli stará (se všemi ošklivostmi, jež to s sebou nese), chtěla rychle rozvinout před vlastní tváří pomyslný vějíř a zahrnula ho proto překotnými otázkami: ptala se ho, jak se dostal do tohoto města; ptala se ho na jeho zaměstnání; chválila mu příjemnost jeho garsoniéry, výhled z okna na městské střechy (řekla, že to není sice pohled nijak zvláštní, ale že je v něm vzdušnost a volnost); pojmenovala autory několika zarámovaných reprodukcí impresionistických obrazů (nebylo to těžké, v bytech chudých českých intelektuálů najdete bezpečně tytéž laciné reprodukce), pak dokonce vstala od stolku s nedopitou kávou a sklonila se nad malý psací stolek, nad nímž bylo v stojánku několik fotografií (neušlo jí, že mezi nimi nebyla fotografie žádné mladé ženy), a zeptala se, zda stará ženská tvář na jedné z nich patří jeho matce (přisvědčil).

I on se jí potom zeptal, co to znamená, řekla-li mu při jejich setkání, že si tu byla vyřídit „nějaké záležitosti". Hrozně se jí nechtělo mluvit o hřbitově (cítila se tu v pátém poschodí nejen vysoko nad střechami, ale i příjemně vysoko nad svým životem); na přímé naléhání však nakonec přiznala (jen velmi stručně, protože nestoudnost překotné upřímnosti jí byla vždycky cizí), že tu před mnoha lety žila, že je tu pohřben její manžel (o zrušení hrobu pomlčela) a že sem už deset let přijíždívá vždycky na Dušičky se synem.

5

„Každý rok?" To zjištění ho rozesmutnilo a znovu pomyslil, že je to zlomyslné; vždyť kdyby ji tu byl potkal před šesti lety, kdy se sem nastěhoval, dalo by se snad všechno zachránit: stáří by ji nebylo ještě tolik poznamenalo, její zjev by se nebyl tolik odlišoval od obrazu ženy, kterou před patnácti lety miloval; bylo by bývalo v jeho silách překlenout odlišnost a oba obrazy (minulý i současný) vnímat jako jeden. Ale teď od sebe beznadějně odstávaly.

Dopila kávu, mluvila a on se snažil určit přesně míru její proměny, jejímž přičiněním mu *podruhé* uniká: tvář zvráščitěla (marně se to snažila popřít vrstva pudru); krk povadl (marně se to snažil zakrýt vysoký límeček); tváře povisly; vlasy (ale to bylo skoro krásné!) prošedivěly; nejvíc ho však přitahovaly ruce (ty pohříchu nelze vylepšit pudrem ani líčidlem): vystoupily na nich modré pletence žil, takže to byly najednou mužské ruce.

Lítost se v něm mísila se zlostí a chtělo se mu zalít alkoholem opožděnost tohoto setkání; zeptal se jí, jestli nemá chuť na koňak (měl ve skříňce za plentou načatou láhev); odpověděla mu, že nemá, a on si vzpomněl, že ani před lety téměř nepila, snad proto, aby alkohol nikdy nevyšinul její projev z vkusné uměřenosti. A když viděl jemný pohyb ruky, jímž odmítla nabídku koňaku, uvědomil si, že ten půvab vkusu, to kouzlo, ta milost, které ho uchvacovaly, jsou v ní pořád stejné, i když skryté pod škraboškou stáří, a samy o sobě pořád vábivé, i když zamřížované.

Když mu projelo hlavou, že je *zamřížovaná stářím*, pocítil k ní nesmírnou lítost, a ta lítost mu ji přiblížila (tuto kdysi tak oslnivou ženu, před kterou míval svázaný jazyk) a měl chuť si s ní popovídat jako přítel s přítelkyní, dlouze, v modravé náladě melancholické rezignace. A skutečně se rozhovořil (dokonce opravdu dlouze) a došel nakonec až ke svým pesimistickým myšlenkám, které ho v poslední době navštěvovaly. Samozřejmě, že pomlčel o počínající pleši (ostatně podobně jako ona pomlčela o zrušeném hrobě); vidina pleše se mu zato přepodstatnila do kvazifilozofických sentencí o tom, že čas běží rychleji, než člověk stačí žít, že život je hrůzný, neb je v něm všechno poznamenáno nutným zánikem, a do podobných sentencí, na něž čekal od návštěvnice účastnou odezvu; ale nedočkal se jí.

„Já nemám ráda tyhle řeči," řekla téměř prudce. „To všechno je hrozně povrchní, co říkáte."

6

Neměla ráda řeči o stárnutí a smrti, protože v sobě obsahovaly fyzickou ošklivost, jež se jí příčila. Několikrát svému hostiteli opakovala téměř vzrušeně, že jeho názor je *povrchní*; vždyť člověk je prý víc než jen tělo, které chátrá, vždyť podstatné je přece dílo člověka, to, co tu člověk nechá pro jiné. Nezastávala tento názor teprve od nynějška; poprvé jí přišel na pomoc, když se před třiceti lety zamilovala do svého příštího manžela, staršího o devatenáct let; nikdy si ho nepřestala upřímně vážit (i přes všechny své nevěry, o nichž on ostatně buď nevěděl nebo nechtěl vědět) a snažila samu sebe přesvědčit, že manželův intelekt i význam vyváží plně těžký náklad jeho let.

„Jaképak dílo, prosím vás! Jaképak tady zanecháme dílo!" protestoval s trpkým smíchem hostitel.

Nechtěla se dovolávat mrtvého manžela, i když pevně věřila v trvalou cenu všeho, co vykonal; řekla tedy jen, že každý člověk tu vytváří nějaké dílo, byť sebeskromnější, a že v tom a jen v tom je jeho hodnota; rozhovořila se pak o sobě, jak pracuje v osvětovém domě jednoho pražského předměstí, jak organizuje přednášky a večery poezie, mluvila (s emfází, která mu připadala přehnaná) o „těch vděčných tvářích" publika; a hned nato se rozvykládala o tom, jak je krásné mít syna a vidět, jak se její vlastní rysy (syn je jí podoben) proměňují ve tvář muže; jak je krásné dát mu všechno, co matka může synovi dát, a zmizet pak tiše za jeho životem.

Nebylo to náhodou, že se rozmluvila o synovi, protože syn se jí dnes po celý den zjevoval v mysli a připomínal vyčítavě dopolední nezdar na hřbitově; bylo to zvláštní; od žádného muže si nenechala nikdy vnucovat vůli, ale její vlastní syn ji dostal pod otěže, ani neví jak. Hřbitovní nezdar ji dnes tolik rozrušil vlastně hlavně proto, že se cítila vinna před ním a bála se jeho výčitek. Tušila ovšem už dlouho, že dohlíží-li syn tak žárlivě na to, jak matka ctí otcovu památku (vždyť právě on naléhal o každých Dušičkách, aby neopomněli jet na hřbitov!), nebylo to ani tak pro lásku k zemřelému otci, jako spíš z touhy terorizovat matku, vykázat ji do patřičných vdovských mezí; neboť bylo to tak, i když on to nikdy nevyslovil a ona se snažila (bez úspěchu) to nevědět: hnusila se mu představa, že by matka mohla ještě sexuálně žít, protivilo se mu všechno, co v ní zůstalo (alespoň jako možnost a příležitost) sexuálního; a protože představa sexuálního je spjata s představou mladosti, protivilo se mu na ní všechno dosud mladistvé; nebyl již dítě a matčina mladistvost (ve spojení s agresivitou mateřského pečování) mu nepříjemně křížila vztah k mladistvosti dívek, jež ho začaly zajímat; chtěl mít matku starou, jedině od takové snášel její lásku a jedině takovou ji měl rád. A ona, přestože si chvílemi uvědomovala, že ji takto strká k hrobu, se mu nakonec podvolovala, kapitulovala pod jeho tlakem, a dokonce si idealizovala svou kapitulaci, přesvědčujíc se, že krása jejího života je právě v onom tichém mizení za jiným životem. Ve jménu této idealizace (bez níž by ji vrásky v tváři pálily ještě mnohem víc) vedla teď s tak nečekaným zanícením spor se svým hostitelem.

Ale hostitel se najednou naklonil přes malý stolek, který stál mezi nimi, pohladil ji po ruce a řekl: „Odpusťe mi moje řeči. Víte, že jsem byl vždycky hlupák.“

7

Jejich spor ho nerozhořčil, naopak, návštěvnice mu v něm jen znovu potvrdila svou totožnost; v jejím protestu proti pesimistickým řečem (což to nebyl především protest proti ošklivosti a nevkusu?) poznával ji takovou, jakou ji znal, a tak mu čím dál víc zaplňovala mysl její stará podoba a jejich stará historie, a on si teď jen přál, aby nic neporušilo ono modré ovzduší, tak příznivé rozhovoru (proto jí pohladil ruku a nazval se hlupákem), a aby jí mohl vyprávět o tom, co se mu v té chvíli zdálo nejdůležitější: jejich společný příběh; byl totiž přesvědčen, že s ní prožil něco velice zvláštního, o čem ona netuší a pro co on sám bude s úsilím hledat přesná slova.

Ať ustoupí staří mrtví mladým mrtvým

Už si ani nevzpomíná, jak se s ní seznámil, přišla patrně někdy do společnosti jeho studentských přátel, ale zastrčenou pražskou kavárničku, kde spolu byli poprvé sami, si pamatuje docela dobře: seděl proti ní v plyšovém boxu stísněný a zamlklý a zároveň opojený jemnými náznaky, jimiž mu dávala najevo svou přízeň. Snažil se potom představit si (i když si netroufal doufat v naplnění těch představ), jak by vypadala, kdyby ji líbal, svlékal a miloval, ale vůbec se mu to nedařilo. Ano, to bylo zvláštní: tisíckrát se snažil představit si ji uprostřed tělesné lásky, ale marně: její tvář se na něho dívala stále svým klidným a mírným úsměvem a on ji nemohl (ani nejurputnějším úsilím obrazotvornosti) zkřivit grimasou milostné exaltace. *Vymykala se úplně jeho obrazotvornosti.*

A to byla situace, která se mu již nikdy v životě neopakovala: stál tehdy tváří v tvář *nepředstavitelnému.* Prožíval zřejmě ono kratičké období (*rajské* období), kdy představivost není ještě dostatečně nasycena zkušeností, není rutinovaná, málo ví a málo umí, takže existuje dosud nepředstavitelné; a má-li se nepředstavitelné proměnit ve skutečnost (bez prostřednictví představitelného, bez můstku představ), je člověk zaskočen a zachvátí ho závrať. Taková závrať ho opravdu jala, když se ho po několika dalších setkáních, během nichž se k ničemu neodhodlal, začala vyptávat podrobně a s výmluvnou zvědavostí na jeho studentský pokoj v koleji, takže ho téměř donutila, aby ji tam pozval.

Kolejní pokojík, v němž bydlel s kolegou, který mu slíbil za štamprli rumu, že se vrátí až po půlnoci, se málo podobal jeho dnešní garsoniéře: dvě železné postele, dvě židle, jedna skříň, jedna křiklavá žárovka bez stínítka, strašný nepořádek. Uklidil a v sedm hodin (patřilo k její noblese, že přicházívala včas) zaklepala na dveře. Bylo září a teprve zvolna se začínalo stmívat. Sedli si na okraj železné postele a líbali se. Potom se tmělo čím dál víc a on nechtěl rozžehnout světlo, protože byl rád, že ho není vidět, a doufal, že mu tma ulehčí v jeho rozpacích, do nichž upadne, až se před ní bude svlékat. (Jestliže jakž takž uměl ženám rozpínat halenky, sám se před nimi svlékal v stydlivém spěchu.) Tentokrát se však dlouho neodvažoval rozepnout jí první knoflík (zdálo se mu, že v započetí svlékání musí existovat nějaký vkusný a elegantní postup, jejž znají jen mužové *znalí*, a bál se prozradit svou neznalost), takže nakonec ona sama vstala a zeptala se s úsměvem: „Nemám si shodit ten krunýř?..." a začala se svlékat; byla však tma a on viděl jen stíny jejích pohybů. Překotně se svlékl též a získal jakousi jistotu, teprve až se začali (dík její trpělivosti) milovat. Díval se jí přitom do tváře, ale v přítmí mu docela unikal její výraz, a ani její rysy nerozeznával. Litoval, že je tma, ale zdálo se mu nemožné od ní v této chvíli vstát a jít ke dveřím otáčet vypínačem, a tak dál marně namáhal oči: ale nepoznával ji; zdálo se mu, že se miluje s někým jiným; s někým podvrženým anebo s někým docela nekonkrétním a neindividuálním.

Potom se na něho posadila (i tehdy z ní viděl jen vztyčený stín) a pohybujíc se v bocích, říkala cosi tlumeným hlasem, šeptem, přičemž nebylo jasné, říká-li to jemu nebo sama pro sebe. Nerozeznával slova a zeptal se jí, co říká. Šeptala cosi dál, a ani když ji potom zase přitiskl k sobě, nerozuměl, co říká.

8

Poslouchala svého hostitele a byla čím dál tím víc zaujata detaily, jež dávno pozapomněla: třeba že tehdy nosívala bledě modrý kostýmek z lehké letní látky, v kterém prý vypadala andělsky nedotknutelná (ano, vzpomněla si na ten kostýmek), že mívala do vlasů zabodnutý velký kostěný hřeben, který jí prý dodával vznešeně staromódního vzhledu, že si v kavárně objednávala vždycky čaj s rumem (její jediná alkoholická neřest), a to všechno ji příjemně odnášelo pryč od hřbitova, pryč od zrušeného hrobu, pryč od otlačených chodidel, pryč od osvětového domu i pryč od vyčítavých synových očí. Hle, blesklo jí hlavou, ať jsem dnes, jaká jsem, žije-li kus mého mládí nadále v tomto muži, nežila jsem zbytečně; a hned za tím jí blesklo, že je to nové potvrzení jejího názoru: cena člověka je v tom, v čem sám sebe přesahuje, v tom, čím je mimo sebe, čím je v jiných a pro jiné.

Poslouchala a nebránila se, když ji chvílemi pohladil po ruce; to pohlazení splývalo s hladivou náladou rozhovoru a mělo v sobě odzbrojující neurčitost (komu patřilo? té, *o níž* se mluví, nebo té, *k níž* se mluví?); ostatně ten, kdo ji hladil, se jí líbil; dokonce si řekla, že se jí líbí víc než onen mladíček před patnácti lety, jehož chlapectví, pamatuje-li se dobře, bylo poněkud obtížné.

Když došel ve svém vyprávění až k tomu, jak se nad ním tyčil její pohybující se stín a jak se marně snažil porozumět jejímu šepotu, na chvíli se odmlčel a ona (bláhově, jako by on ta slova znal a chtěl jí je po létech připomenout jako nějaké zapomenuté tajemství) se tiše zeptala: „A co jsem to říkala?"

9

„Nevím," odpověděl. Nevěděl; unikla tehdy nejen jeho představám, ale i jeho vjemům; unikla jeho zraku i sluchu. Když v kolejním pokojíku rozžal světlo, byla už oblečená, všechno na ní bylo zase hladké, oslnivé, dokonalé, a on marně hledal spojitost mezi její osvětlenou tváří a tváří, kterou před chvílí tušil ve tmě. Ještě se toho dne ani nerozloučili, a už na ni vzpomínal; snažil se představit si, jak vypadala její (neviděná) tvář a (neviděné) tělo, když se před chvílí milovali. Ale bez úspěchu; stále se vymykala jeho obrazotvornosti.

Předsevzal si, že příště ji musí milovat při plném osvětlení. Jenomže žádné příště už nebylo. Obratně a taktně se mu od té doby vyhýbala a on propadl nejistotě a beznaději: milovali se sice krásně, snad, ale věděl také, jak nemožný byl *předtím*, a styděl se za to; cítil se teď jejím vyhýbáním odsouzen a neosmělil se již o ni naléhavěji usilovat.

„Řekněte mi, proč jste se mi tehdy vyhýbala?"

„Prosím vás," řekla co nejněžnějším hlasem, „je to tak dávno, co já vím...", a když naléhal dále, prohlásila: „Neměl byste se pořád vracet k minulosti. Dost na tom, že jí musíme věnovat tolik času proti své vůli." Řekla to jen proto, aby nějak odrazila jeho naléhání (a snad se poslední věta, řečená s lehkým povzdechem, vztahovala k dopolední návštěvě hřbitova), ale on její prohlášení vnímal jinak: jako by mu mělo prudce a záměrně osvětlit (tu očividnou věc), že nejsou dvě ženy (někdejší a dnešní), ale jen jedna a stále tatáž žena, a že ta žena, jež mu před patnácti lety unikla, je nyní zde, je na dosah ruky.

„Máte pravdu, přítomnost je důležitější," řekl s významným akcentem a podíval se velice upřeně na její tvář, která se usmívala pootevřenými ústy, v nichž se bělala řada zubů; v té chvíli mu prolétla hlavou vzpomínka: tehdy v kolejním pokojíku vzala do úst jeho prsty, skousla je silně, až ho to bolelo, a on při tom nahmatával veškerý vnitřek jejích úst; a dodnes ví, že na jedné straně nahoře vzadu jí chyběly všechny zuby; (neodrazovalo ho to tehdy, naopak, ten drobný nedostatek patřil k jejímu věku, který ho vábil a vzrušoval). A nyní, dívaje se do skuliny, jež se otvírá mezi zuby a koutkem úst, viděl, že zuby jsou nápadně bílé a žádný nechybí, a zamrazilo ho to: opět oba obrazy od sebe odchlíply, ale on to nechtěl připustit, chtěl je mocí a násilím zase spojit v jeden, a proto řekl: „Opravdu nemáte chuť na koňak?", a když s půvabným úsměvem a mírně zvednutým obočím zavrtěla hlavou, odešel za plentu, vytáhl láhev koňaku, naklonil ji k ústům a rychle pil. Potom ho napadlo, by mohla podle dechu odhalit jeho tajné počínání, a vzal proto dva pohárky i láhev a donesl je do pokoje. Vrtěla znovu hlavou. „Alespoň symbolicky," řekl a nalil obě číšky. Pak si s ní přiťukl: „Abych už o vás mluvil jenom v přítomném čase!" Vypil číšku, ona omočila rty, přisedl si k ní na okraj křesla a chytil ji za ruce.

10

Netušila, když šla do jeho garsoniéry, že by mohlo dojít k *tomuto* doteku, a pocítila v první chvíli úlek; jako by ten dotek přišel dřív, než byla s to se na něj připravit (onu *permanentní připravenost*, jak ji zná zralá žena, již dávno totiž ztratila); (našli bychom v tom úleku snad cosi společného s úlekem mladičké dívenky, jež byla poprvé políbena, neboť je-li dívenka *ještě* nepřipravena a ona *už* nepřipravena, pak tato „už“ a „ještě“ jsou tajemně spřízněna, jako bývají spřízněny podivnosti stáří a dětství). Posadil ji pak z křesla na gauč, přitiskl ji k sobě, hladil ji po celém těle a ona se cítila v jeho rukou beztvárně měkká (ano, měkká: protože z jejího těla se dávno vystěhovala vladařící smyslnost, obdařující pohotově svalstvo rytmem stahů a uvolnění a aktivitou sta jemných pohybů).

Okamžik úleku se však brzo rozplynul v jeho dotecích a ona, vzdálena krásné zralé ženě, jíž kdysi byla, se do ní nyní nesmírnou rychlostí vracela zpátky, do jejího sebecitu, do jejího vědomí, a nacházela bývalou jistotu eroticky znalé ženy, a protože to byla jistota dlouho neokoušená, cítila ji teď intenzívněji než kdykoli předtím; její tělo, před chvíli ještě zaskočené, polekané, pasívní, měkké, ožilo, odpovídalo teď hostiteli vlastními doteky a ona cítila přesnost a vědoucnost těch doteků a blažilo ji to; ty doteky, způsob, jak kladla tvář na jeho tělo, jemné pohyby, jimiž odpovídal její trup na jeho objetí, to vše nacházela nikoli jako cosi pouze naučeného, cosi, co umí a co teď s chladným uspokojením provádí, nýbrž jako něco *bytostného*, s čím opojeně a nadšeně splývá, jako by to byla její domovská pevnina (ach, pevnina krásy!), z níž byla vystěhována a do níž se teď slavnostně navrací.

Její syn byl teď nekonečně daleko; když ji hostitel uchopil, zahlédla ho sice varovně v koutku mysli, ale pak se rychle ztratil a široko daleko zůstali jen ona a muž, jenž ji hladil a objímal. Až když položil ústa na její ústa a chtěl jí jazykem rozevřít rty, všechno se rázem zvrátilo: procitla. Stiskla pevně zuby (cítila protézu, hořkou cizorodost její hmoty tisknoucí se jí k patru, měla pocit, že jí má plná ústa) a nepoddala se mu; potom ho jemně odstrčila a řekla: „Ne. Opravdu, prosím vás, raději ne.“

Když dále naléhal, vzala ho za zápěstí obou jeho rukou a opakovala své odmítnutí; potom mu řekla (mluvilo se jí těžce, ale věděla, že musí mluvit, chce-li, aby ji poslechl), že je pozdě na to, aby se milovali; připomněla mu svůj věk; budou-li se milovat, zošklivi si ji a ona z toho bude zoufalá, protože to, co jí vyprávěl o nich dvou, bylo pro ni nesmírně krásné a důležité; její tělo je smrtelné a chátrá, ale ona teď ví, že z něho zůstalo cosi nehmotného, cosi podobného paprsku, jenž svítí, i když hvězda je zhaslá; co na tom, že stárne, zůstalo-li v někom uchováno a nedotčeno její mládí. „Vystavěl jste mi v sobě můj památník. Nesmíme dopustit, aby byl zničen. Pochopte mne," bránila se. „Nesmíte. Ne, nesmíte."

11

Ujistil ji, že je pořád krásná, že se vlastně nic nezměnilo, že člověk zůstává stále týž, ale věděl, že ji klame a že pravdu má ona: znal přece dobře svou fyzickou přecitlivělost, svůj rok od roku štítivější poměr k zevnějším poruchám ženského těla, jenž ho v posledních letech obracel k čím dál mladším a tedy, jak si trpce uvědomoval, i prázdnějším a hloupějším ženám; ano, nelze o tom pochybovat: jestli ji přiměje k fyzické lásce, skončí to zošklivením, a to zošklivení pak zastříká blátem nejen přítomnou chvíli, ale i obraz dávno milované ženy, obraz chovaný v paměti jako šperk.

To všechno věděl, ale to všechno byly jen myšlenky, a myšlenky neznamenají nic proti chtění, jež vědělo jen jedno své: žena, jejíž někdejší nedosažitelnost a nepředstavitelnost ho sužovala celých patnáct let, ta žena je zde; konečně ji může vidět v plném světle, konečně si může přečíst z jejího dnešního těla její někdejší tělo, z její dnešní tváře její někdejší tvář. Konečně si může přečíst její (nepředstavitelnou) milostnou mimiku a milostnou křeč.

Vzal ji rukama kolem ramen a podíval se jí do očí: „Nebraňte se mi. Je to nesmysl, abyste se bránila."

12

Ale ona vrtěla hlavou, protože věděla, že to není nesmysl, brání-li se mu, vždyť přece zná muže a jejich přístup k ženskému tělu, vždyť ví, že ani nejzanícenější idealismus v lásce nezbaví povrch těla strašlivé platnosti; měla sice stále docela slušnou postavu, která si zachovala původní proporce a zejména v šatech vypadala docela mladistvě, ale věděla, že až se svlékne, obnaží se svraštělost jejího krku a odhalí se dlouhá jizva po operaci žaludku, kterou prodělala před deseti lety.

A tak jak se do ní vracelo vědomí její současné tělesné podoby, z níž před chvílí vyplula ven, tak stoupaly z nížin ulice vzhůru k oknu tohoto pokoje (zdál se jí až dosud bezpečně vysoko nad jejím životem) úzkosti dnešního dopoledne, zaplňovaly pokoj, usedaly na zasklené reprodukce, na křeslo, na stůl, na šálek vypité kávy, a jejich průvodu vévodila synova tvář; když ji spatřila, zrudla a prchala kamsi hluboko do sebe: bláhová, už už chtěla utéci z té dráhy, kterou jí určil a po níž dosud kráčela s úsměvem a nadšenými řečmi, už už chtěla (aspoň na chvíli) utéci, a teď se musí poslušně vrátit a přiznat, že je to jediná dráha, jež jí přísluší. Synova tvář byla tak výsměšná, že v studu cítila, jak se před ním stává menší a menší, až se ponížena proměňuje v pouhou jizvu na svém žaludku.

Hostitel ji držel za ramena a znovu opakoval: „Je to nesmysl, abyste se mi bránila," a ona vrtěla hlavou, ale docela mechanicky, protože před očima neměla hostitele, ale nepřítele-syna, jehož nenáviděla, čím víc se cítila menší a poníženější. Slyšela, jak jí vyčítá zrušený hrob, a tu v ní z chaosu paměti vyskočila alogicky věta, kterou mu vztekle hodila do tváře: *Staří mrtví musí ustoupit mladým mrtvým, chlapečku!*

13

Nemohl ani trochu pochybovat o tom, že by to opravdu skončilo zošklivením, vždyť už teď pouhý pohled na ni (pohled pátravý a pronikavý) nebyl jistého zošklivení prost; podivná věc byla však v tom, že mu to nevadilo, ba naopak, že ho to dráždilo a podněcovalo, jako by si to zošklivení přál: touha po souloži se v něm sbližovala s touhou po zošklivení; touha přečíst z jejího těla konečně to, co tak dlouho nesměl znát, mísila se s touhou to přečtené vzápětí znehodnotit.

Kde se to v něm bralo? Ať už si to uvědomoval, či ne, naskytla se mu jedinečná příležitost: jeho návštěvnice mu zastupovala všechno, co neměl, co mu uniklo, co minul, všechno to, co mu svou absencí činilo tak nesnesitelným dnešní věk s řídnoucími vlasy a truchlivě chudou bilancí; a on, ať si to uvědomoval, nebo to jen mlhavě tušil, mohl teď všechny ty odepřené radosti zbavit významu i barev (neboť právě jejich strašná barevnost činila jeho život tak smutně bezbarvým), mohl odhalit, že jsou nicotné, že jsou jen zdání a zánik, že jsou jen přetvařující se prach, mohl se jim pomstít, ponížit je, zničit.

„Nebraňte se mi," opakoval a snažil se ji přitáhnout k sobě.

14

Viděla pořád před očima výsměšnou synovu tvář, a když ji teď hostitel přitáhl silou k sobě, řekla: „Prosím vás, nechte mne chviličku," a vyvinula se mu; nechtěla totiž přerušit to, co jí běželo hlavou: staří mrtví musí ustoupit mladým mrtvým a památníky jsou na nic, i její památník, který tento muž vedle ní uctíval patnáct let ve své mysli, je na nic, i manželův památník je na nic, ano, chlapečku, všechny památníky jsou na nic, říkala v duchu synovi a s mstivým potěšením se dívala, jak se jeho tvář svrašťuje a křičí: — Tak jsi nikdy nemluvila, matko! — Ovšem, věděla, že tak nikdy nemluvila, ale tato chvíle byla plna světla, pod nímž se stávalo všechno docela jiným:

Není důvodu, proč by měla dávat památníkům přednost před životem; její vlastní památník má pro ni jediný význam: že ho v této chvíli může zneužít pro své přezírané tělo; muž, který sedí vedle ní, se jí líbí, je mladý a pravděpodobně (ba téměř jistě) je to poslední muž, který se jí líbí a kterého přitom může mít; a to jediné je důležité; jestli si ji pak zhnusí a povalí její památník ve své mysli, je lhostejné, protože památník je mimo ni, stejně jako jeho mysl a paměť jsou mimo ni, a všechno, co je mimo ni, je lhostejné. — Tak jsi nikdy nemluvila, matko! — slyšela synův výkřik, ale nedbala ho. Usmívala se.

„Máte pravdu, proč bych se bránila," řekla tiše a vstala. Pak si začala zvolna rozpínat šaty. Bylo ještě daleko do večera. V pokoji bylo tentokrát úplné světlo.

DOKTOR HAVEL PO DVACETI LETECH

Doktor Havel po dvaceti letech

1

Když se doktor Havel odjížděl léčit do lázní, měla jeho krásná žena slzy v očích. Měla je tam jednak ze soucitu (Havla stihly před časem záchvaty žlučníku a ona ho do té doby nikdy neviděla trpět), ale měla je tam i proto, že nastávající tři týdny odloučení v ní probudily žárlivé trýzně.

Cože? Že by tato herečka, obdivovaná, krásná, o tolik let mladší, žárlila na stárnoucího pána, který v posledních měsících neopustil dům, aniž zasunul do kapsy lahvičku s tabletami proti zákeřně přepadavým bolestem?

Bylo to tak, a odkud se to v ní bralo, není známo. Ani doktor Havel to pořádně nevěděl, neboť i jemu připadala podle zjevu nezranitelně suverénní; tím víc ho okouzlilo, když se s ní před několika lety více sblížil a odhalil její prostotu, domáckost a nejistotu; bylo to zvláštní: i když se pak vzali, herečka vůbec nebrala na vědomí převahu svého mládí; byla uhranuta láskou i strašlivou erotickou pověstí svého muže, takže se jí zdál být stále unikavý a nezachytitelný, a i když ji s nekonečnou trpělivostí (a naprosto upřímně) denně přesvědčoval, že nemá a nebude mít nikdy nad ni, bolestně a divoce na něho žárlila; jenom její přirozená noblesa držela ten špatný cit pod pokličkou, kde však vřel a vyváděl o to hůř.

Havel to všechno věděl, chvílemi ho to dojímalo, chvílemi zlobilo, někdy unavovalo, ale protože měl svou ženu rád, dělal všechno, aby jí v její trýzni ulevil. Také tentokrát se jí snažil pomoci: hrozně přeháněl své bolesti i nebezpečnost svého zdravotního stavu, neboť věděl, že strach z jeho nemoci je pro ni povznášející a blaživý, kdežto strach z jeho zdraví (plného nevěr a záhadných spádů) ji ničí; často zaváděl řeč na doktorku Františku, která ho bude v lázních léčit; herečka ji znala, a obraz jejího zjevu, dokonale dobrotivého a dokonale vzdáleného jakékoli chlípné představy, ji konejšil.

Když doktor Havel seděl již v autobusu a díval se do slzavých očí krasavice stojící na nástupišti, pocítil, po pravdě řečeno, úlevu, neboť její láska byla nejen sladká, nýbrž i těžká. Ale v lázních mu moc dobře nebylo. Po požití minerálních vod, jimiž musil třikrát denně prolévat trup, měl bolesti, cítil se unaven, a když potkával na kolonádě pohledné ženy, zjišťoval s úlekem, že se cítí stár a nemá na ně chuť. Jediná žena, které mu bylo dopřáno v neomezeném množství, byla hodná Františka, která mu píchala injekce, měřila tlak, prohmatávala břicho a zásobila ho informacemi o poměrech v lázních i o svých dvou dětech, zejména o synovi, jenž je jí prý podoben.

V takovém rozpoložení dostal dopis od ženy. Ach běda, její noblesa hlídala tentokrát špatně pokličku, pod níž vřelo žárlení; byl to dopis plný stížností a nářků: prý mu nechce nic vyčítat, ale nemůže celé noci spát; prý ví dobře, že je mu svou láskou na obtíž, a umí si představit, jak je teď šťasten, když je bez ní a může si oddechnout; ano, pochopila, že je mu protivná; a ví také, že je příliš slabá na to, aby změnila jeho osud, jímž budou stále procházet celé zástupy žen; ano, ví to, neprotestuje proti tomu, ale pláče a nemůže spát...

Když doktor Havel přečetl tento seznam vzlyků, vybavily se mu tři marné roky, kdy se v usilovném přesvědčování líčil své ženě jako obrácený prostopášník a milující manžel; pocítil nesmírnou únavu a beznaděj. Dopis v hněvu zmačkal a hodil do koše.

2

Kupodivu druhý den mu bylo o něco lépe; žlučník ho už vůbec nebolel a pocítil malou, leč patrnou chuť na několik žen, které viděl ráno kroužit kolonádou. Tento malý zisk byl však znevážen mnohem horším poznáním: ty ženy ho míjely bez nejmenšího povšimnutí; splýval jim s bledými usrkávači pramenů v jediný chorý zástup.

„Vidíš, lepší se to," řekla doktorka Františka, když ho pak dopoledne prohmatala. „Jen pořádně drž dietu. Pacientky, s kterými se vidíš na kolonádě, jsou naštěstí dost staré a nemocné, než aby tě znepokojovaly, a to jsou pro tebe nejlepší podmínky, protože potřebuješ klid."

Havel si zastrkával košili do kalhot; stál přitom před malým zrcadlem pověšeným v koutě nad umyvadlem a pozoroval mrzutě svou tvář. Pak řekl velice smutně: „Nemáš pravdu. Všiml jsem si dobře, že mezi většinou stařenek prochází se kolonádou i menšina docela pěkných žen. Jenomže o mne nezavadily ani pohledem."

„Kdybych ti všechno věřila, tak tohle ne," usmála se na něho lékařka, a doktor Havel, odtrhnuv oči od smutné podívané v zrcadle, zadíval se do jejích nepochybovačných, věrných očí; pocítil k ní velikou vděčnost, i když věděl, že z ní promluvila jen víra v tradici, víra v mnohaletou roli, v níž ho byla zvyklá s mírným nesouhlasem (leč přesto láskyplně) vídat.

Potom zaklepal někdo na dveře. Když je Františka pootevřela, bylo zřít uklánějící se hlavu mladého muže. „Ach, to jste vy! Úplně jsem zapomněla!" Zvala mladíka dál do ordinace a vysvětlovala Havlovi: „Už dva dny tě shání redaktor lázeňského časopisu."

Mladík se začal mnohomluvně omlouvat, že vyrušuje pana doktora v tak delikátní situaci, a pokoušel se (pohříchu s poněkud nepříjemnou křečovitostí) o žertovný tón: prý se pan doktor nemá hněvat na paní doktorku, že ho zradila, neboť redaktor by ho byl stejně dostihl, třeba i ve vaně s uhličitou vodou; a na něho se pan doktor taky nesmí zlobit pro jeho drzost, neboť tato vlastnost náleží k nezbytnostem žurnalistické profese a bez ní by se neuživil. Rozhovořil se pak o obrázkovém časopise, který vydávají jednou měsíčně zdejší lázně, a vysvětloval, že v každém čísle bývá rozhovor s některým významným pacientem, který se tu právě léčí; příkladem uvedl několik jmen, z nichž jedno patřilo členu vlády, jedno zpěvačce a jedno hokejistovi.

„Vidíš," řekla Františka, „krásné ženy na kolonádě o tebe zájem nejevily, zato vzbuzuješ pozornost žurnalistů."

„Je to strašlivý úpadek," řekl Havel; vzal však rád zavděk i touto pozorností, usmál se na redaktora a odmítal jeho nabídku s dojemně průhlednou neupřímností: „Já, pane redaktore, nejsem ani člen vlády, ani hokejista, tím méně zpěvačka. Nechci sice nijak podceňovat své vědecké výzkumy, ale ty jsou přece jen spíš pro odborníky než pro širší publikum."

„Však já ten interview nechci dělat s vámi; to mne ani nenapadlo," odpověděl mladík s pohotovou upřímností. „Chtěl bych ho udělat s vaší ženou. Slyšel jsem, že vás má přijet do lázní navštívit."

„To jste informován lépe než já," řekl Havel dosti chladně; přistoupil pak opět k zrcadlu a díval se na svou tvář, která se mu nelíbila. Zapínal si horní knoflíček u košile, mlčel, zatímco mladý redaktor upadl do rozpaků, v nichž valem ztrácel proklamovanou žurnalistickou drzost; omlouval se lékařce, omlouval se doktorovi a byl rád, když odešel.

3

Redaktor byl spíš ztřeštěnec než hlupák. Lázeňského časopisu si nijak necenil, ale jsa jeho jediným redaktorem, musil chtě nechtě dělat vše, aby každý měsíc naplnil čtyřiadvacet stran nezbytnými fotografiemi a slovy. V létě to jakž takž šlo, protože lázně se hemžily významnými hosty, střídaly se tu různé orchestry při promenádních koncertech a nebyla nouze o drobné senzace. Zato v sychravých měsících se kolonády naplnily venkovskými ženami a nudou, takže si nesměl nechat utéci žádnou příležitost. Když včera kdesi zaslechl, že se tu léčí manžel známé herečky, právě té, která vystupuje v nové filmové detektivce, jež v těchto týdnech se zdarem rozptyluje unuděné lázeňské hosty, zavětřil a začal ho hned shánět.

Teď se však styděl.

Byl totiž vždycky sám sebou nejistý, a proto poddansky odkázán na lidi, s nimiž se stýkal a v jejichž pohledu a soudu shledával bojácně, jaký je a zač stojí. Usoudil nyní, že byl uznán mizerným, hloupým, obtížným, a nesl to o to tíž, že muž, jenž ho takto odsoudil, mu byl na první pohled sympatický. A tak stíhán neklidem telefonoval ještě téhož dne lékařce, aby se jí zeptal, kdo je vlastně ten hereččin manžel, a dověděl se, že je to nejenom známá lékařská kapacita, ale i jinak muž velmi proslulý; copak o něm pan redaktor opravdu nikdy neslyšel?

Pan redaktor přiznal, že ne, a lékařka řekla s dobromyslnou shovívavostí: „No ovšem, vždyť vy jste ještě dítě. V oboru, v němž Havel vynikl, se naštěstí nevyznáte."

Když se dalšími dotazy u dalších lidí přesvědčil, že tímto oborem bylo míněno erotické znalectví, v němž prý doktor Havel neměl ve své vlasti konkurenci, zastyděl se, že byl označen za neznalce a že to ostatně potvrdil i tím, že o Havlovi nikdy neslyšel. A protože vždycky toužebně snil o tom být jednou znalcem jako tento muž, mrzelo ho, že se projevil jako nesympatický hlupák právě před ním, před svým mistrem; vyvolával si z paměti svou žvanivost, své blbé vtipkování, svou netaktnost, a pokorně souhlasil s oprávněností trestu, jejž mu mistr udělil svým odmítavým odmlčením a nepřítomným pohledem do zrcadla.

Lázeňské město, v němž se odehrává příběh, je nevelké a lidé se tu vídají několikrát za den, ať je jim to milé nebo ne. A tak nebylo pro mladého redaktora obtížné potkat se brzy s mužem, na něhož myslil. Bylo pozdní odpoledne a pod sloupořadím kolonády kroužila zvolna tlačenice žlučníkářů. Doktor Havel usrkoval z porcelánové nádobky smrdutou vodu a mírně se šklebil. Mladý redaktor k němu přistoupil a začal se zmateně omlouvat. Netušil prý vůbec, že manželem známé herečky Havlové je právě on, doktor Havel, a ne jiný Havel; Havlů je prý v Čechách mnoho a redaktorovi se pohříchu nespojil v mysli manžel hereččin s oním proslulým doktorem, o němž redaktor samozřejmě už dávno slyšel, a to nejen jako o lékařské kapacitě, nýbrž — snad si to může dovolit říci — i podle nejrůznějších pověstí a historek.

Není důvodů zapírat, že doktora Havla v jeho mrzuté náladě potěšila slova mladého muže, zejména připomínka pověstí, o nichž Havel dobře věděl, že jsou podrobeny zákonům stárnutí a zániku, jako člověk sám.

„Nic se mi neomlouvejte," řekl mladíkovi, a protože viděl jeho rozpaky, vzal ho jemně za paži a přiměl ho, aby s ním promenoval kolonádou. „To přece nestojí za řeč," utěšoval ho, avšak přitom zálibně u jeho omluv sám setrvával a několikrát řekl: „Tak vy jste o mně slyšel?" a vždycky se přitom šťastně smál.

„Ano," přitakával horlivě redaktor. „Ale vůbec jsem si vás takhle nepředstavoval."

„A jak jste si mne představoval?" ptal se doktor Havel s upřímným zájmem, a když redaktor cosi koktal, nevěda, co říci, pravil melancholicky: „Já vím. Na rozdíl od nás jsou postavy příběhů, legend či anekdot zhotoveny z látky, která není podrobena kazivosti stáří. Ne, tím nechci říci, že legendy a anekdoty jsou nesmrtelné; zajisté i ony stárnou a spolu s nimi stárnou i jejich postavy, jenomže stárnou tak, že se jejich podoba nemění a nekazí, nýbrž jen zvolna bledne, průhlední, až nakonec splyne s čirostí prostoru. Tak se jednou rozplyne Kohn z anekdoty, i Havel-Sběratel, ale i Mojžíš i Pallas Athéna či František z Assisi; avšak považte, že František bude zvolna blednout i s ptáčky, kteří mu sedí na rameni, i s kolouškem, který se mu otírá o nohu, i s hájem oliv, který mu poskytuje stín, že celá jeho krajina bude průhlednět s ním a spolu s ním se zvolna proměňovat v útěchyplný azur, zatímco my, milý příteli, zanikáme na pozadí výsměšně barevné krajiny a před tváří výsměšně živoucího mládí."

Havlova řeč mladíka zmátla i nadchla a oba dva se spolu ještě dlouho procházeli stmívajícím se podvečerem. Když se loučili, Havel prohlásil, že už je unaven dietní stravou a že by zítra rád zašel na lidskou večeři; zeptal se redaktora, zda by mu nechtěl dělat společníka.

To se ví, že mladík chtěl.

4

„Neříkejte to paní doktorce," řekl Havel, když usedl proti redaktorovi ke stolu a vzal do ruky jídelní lístek, „ale mám své zvláštní pojetí diety: striktně se vyhýbám všem jídlům, která mi nechutnají." Pak se zeptal mladíka, jaký by si chtěl dát aperitiv.

Redaktor nebyl zvyklý pít před jídlem aperitivy, a protože ho nic jiného nenapadalo, řekl: „Vodku."

Doktor Havel se zatvářil nespokojeně: „Vodka čpí ruskou duší."

„To je pravda," řekl redaktor a byl od té chvíle ztracen. Byl jako maturant před komisí. Nesnažil se říkat, co si myslí, a dělat, co chce, ale snažil se, aby examinátoři byli spokojeni; snažil se uhodnout jejich myšlenky, jejich vrtochy, jejich vkus; přál si jich být hoden. Za nic na světě by nepřiznal, že jeho večeře bývají primitivní a špatné a že nic netuší o tom, jaké víno patří k jakému masu. A doktor Havel ho bezděčně týral, když se s ním neustále radil o volbě předkrmu, hlavního chodu, vína a sýru.

Když redaktor konstatoval, že mu v předmětu labužnictví komise strhla mnoho bodů, chtěl ztrátu nahradit zvýšenou horlivostí, a už v přestávce mezi předkrmem a hlavním chodem se rozhlížel nápadně po ženách přítomných v restauraci; několika poznámkami se pak snažil prokázat svůj zájem i znalost. Ale zas na to doplatil. Když prohlásil o zrzavé dámě sedící o dva stoly dál, že by byla určitě výbornou milenkou, otázal se ho Havel bez zlého úmyslu, proč se tak domnívá. Redaktor odpověděl neurčitě, a když se ho doktor vyptával na jeho zkušenosti se zrzkami, zaplétal se do nevěrohodných lží a brzy zmlkl.

Zato doktoru Havlovi bylo v přítomnosti obdivných očí redaktorových příjemně a volně. Poručil k masu láhev červeného vína, takže mladík pobídnut vínem, učinil další pokus stát se hodným mistrovy přízně; rozvykládal se o dívce, kterou nedávno objevil a o niž už několik týdnů usiluje prý s velkou nadějí na úspěch. Jeho výpověď nebyla příliš obsažná, a nepřirozený úsměv, který mu kryl tvář a měl svou chtěnou dvojsmyslností dořící nedořečené, byl s to vyjádřit jen přemáhanou nejistotu. Havel to vše dobře viděl, a pohnut soucitem, ptal se redaktora na nejrůznější tělesné vlastnosti dotyčné dívky, aby mu umožnil zdržovat se v milém tématu co nejdéle a rozhovořit se volněji. Avšak i tentokrát mladík neuvěřitelně zklamal: jeho odpovědi byly pozoruhodně nezřetelné; ukazovalo se, že není s to popsat s dostatečnou přesností ani celkovou architekturu dívčina těla, ani jeho jednotlivé detaily, tím méně dívčinu mysl. A tak se doktor Havel rozhovořil posléze sám, a opájeje se pohodou večera i vínem, zahrnul redaktora duchaplným monologem vlastních vzpomínek, historek a nápadů.

Redaktor usrkoval víno, poslouchal a zakoušel přitom dvojaké pocity: především byl nešťasten: cítil svou nepatrnost a hloupost, připadal si jako pochybný učedník před tváří nepochybného mistra a styděl se otevřít ústa; ale zároveň byl i šťasten: lichotilo mu, že mistr sedí proti němu, kamarádsky se s ním baví a svěřuje mu nejrůznější diskrétní a cenné postřehy.

Když řeč Havlova trvala už příliš dlouho, zatoužil mladík přece jen otevřít vlastní ústa, přiložit polínko, připojit se, prokázat schopnost partnerství; promluvil proto znovu o své dívce a požádal družně Havla, aby se na ni zítra podíval; aby mu řekl, jaká se mu jeví v měřítkách jeho zkušeností; jinak řečeno, aby mu ji (ano, použil v rozmaru tohoto slova) *zkolaudoval.*

Co ho to napadlo? Byl to jen bezděčný nápad zrozený z vína a horlivé touhy něco říct?

Ať to byl nápad jakkoli spontánní, přece jen v něm redaktor sledoval nejméně trojí prospěch:

spiklenectvím společného a tajného posuzování (kolaudace) vytvoří se mezi ním a mistrem důvěrné pouto, stvrdí se kamarádství, kumpánství, po němž redaktor toužil;

vysloví-li mistr své uznání (a mladík v to doufal, neboť sám byl zmíněnou dívkou značně okouzlen), bude to uznání pro mladíka, pro jeho rozhled a vkus, takže bude v mistrových očích povýšen z učedníka na tovaryše, a též sám pro sebe bude pak znamenat více, než znamenal;

a konečně: i dívka bude pak znamenat pro mladíka víc, než znamenala, a slast, kterou zažívá z její přítomnosti, změní se z fiktivní slasti v slast skutečnou (neboť mladík si občas uvědomoval, že svět, v němž žije, je pro něho bludištěm hodnot, jejichž cenu jen zcela matně tuší a jež se tudíž z hodnot zdánlivých mohou stát hodnotami skutečnými teprve tehdy, budou-li *ověřeny*).

5

Když se doktor Havel příštího dne vzbudil, cítil, že ho po včerejší večeři mírně tlačí žlučník; a když se podíval na hodinky, zjistil, že musí být za půl hodiny na proceduře, a že tedy bude musit spěchat, což dělal v životě ze všeho nejméně rád; a když se česal, uviděl v zrcadle tvář, která se mu nelíbila. Den špatně začínal.

Nestačil ani posnídat (to rovněž považoval za špatné znamení, neboť si potrpěl na přesnou životosprávu) a spěchal do budovy lázní. Tam byla dlouhá chodba a v ní mnoho dveří; u jedněch zaklepal a vykoukla z nich hezká blondýnka v bílém plášti; mrzutě mu vytkla, že jde pozdě, a zvala ho dál. Doktor Havel se svlékal za plentou v kabince a po chvíli uslyšel: „Tak honem!“ Masérčin hlas byl čím dál nezdvořilejší a Havla urážel a provokoval k odvetě (a běda, doktor Havel si během let navykl znát jen jediný způsob odvety vůči ženám!). Svlékl si tedy spodky, vtáhl břicho, vypjal hruď a chtěl vykročit z kabiny; pak ale znechucen nedůstojnou snahou, která mu bývala na jiných směšná, břicho opět pohodlně uvolnil a s nedbalostí, kterou jedině považoval za důstojnou sebe sama, kráčel k veliké vaně a ponořil se do vlažné vody.

Masérka, zcela nevšímavá k jeho hrudi i k jeho břichu, otáčela mezitím několika kohoutky na velké rozvodné desce, a když doktor Havel ležel již natažen na dně vany, chopila se jeho pravé nohy a přiložila pod vodou k její šlapce ústí hadice, z níž vycházel ostrý proud. Doktor Havel, jenž byl lechtivý, škubal nohou, takže ho masérka musila napomenout.

Nebylo by zajisté příliš obtížné vykolejit blondýnu z její studené nezdvořilosti nějakým vtipem, povídáním, žertovnou otázkou, jenomže na to byl Havel příliš popuzen a uražen. Říkal si, že blondýna je hodna trestu a že si nezaslouží, aby jí situaci usnadňoval. Ve chvíli, kdy mu přejížděla hadicí po slabinách a on si kryl dlaněmi přirození, aby mu ostrý proud neublížil, otázal se jí, co dělá dnes večer. Aniž na něho pohlédla, zeptala se, proč to chce vědět. Vysvětlil jí, že bydlí sám v jednolůžkovém pokoji a že chce, aby tam dnes večer k němu přišla. „To jste si mne asi spletl," řekla blondýna a vybídla ho, aby se otočil na břicho.

A tak ležel doktor Havel břichem na dně vany, zvedaje bradu do výšky, aby mohl dýchat. Cítil, jak mu ostrý proud masíruje lýtka, a byl spokojen se správným způsobem, jímž oslovil masérku. Doktor Havel trestal totiž odedávna vzpurné, drzé či rozmazlené ženy tím, že je přiváděl na svůj gauč chladně, bez jediné něžnosti, téměř mlčky, a že je z něho stejně mrazivě i propouštěl. Teprve po chvíli ho napadlo, že sice masérku oslovil s náležitým chladem a bez jakýchkoli něžností, avšak na gauč ji nepřivedl a asi nepřivede. Pochopil, že byl odmítnut a že je to nová urážka. Byl proto rád, když už se utíral v kabině do ručníku.

Pak vyběhl z budovy a spěchal k vývěsní skříňce kina Čas; tam byly vystaveny tři reklamní fotografie, a na jedné z nich byla jeho žena klečící v hrůze nad mrtvolou. Doktor Havel se díval na tu něžnou tvář, zkřivenou děsem, a cítil nesmírnou lásku a nesmírný stesk. Dlouho se nemohl od skříňky odtrhnout. Pak se rozhodl, že se staví u Františky.

6

„Dej mi, prosím tě, meziměsto, musím mluvit se svou ženou," řekl jí, když vypustila pacienta a pozvala ho do ordinace.

„Stalo se něco?"

„Ano," řekl Havel, „stýská se mi!"

Františka se po něm nedůvěřivě podívala, vytočila meziměstskou centrálu a ohlásila číslo, které jí Havel napověděl. Pak zavěsila sluchátko a řekla: „Tobě že se stýská?"

„A proč by se mi nestýskalo," rozzlobil se Havel. „Jsi stejná jako moje žena. Vidíte ve mně někoho, kým dávno nejsem. Jsem pokorný, jsem osiřelý, jsem smutný. Dolehla na mne léta. A řeknu ti, že to není nic příjemného."

„Měl bys mít děti," odpověděla mu lékařka. „Nemyslil bys tolik na sebe. Na mne také doléhají léta a nemyslím na to. Když vidím svého syna, jak se mění z dítěte v chlapce, těším se už na to, jak bude vypadat jako muž, a nelamentuju nad časem. Představ si, co mi zas včera řekl: nač prý jsou na světě lékaři, když lidi stejně všichni umřou? Co tomu říkáš? Co bys mu na to řekl?"

Doktor Havel naštěstí nemusel odpovídat, protože zazvonil telefon. Zvedl sluchátko, a když v něm uslyšel ženin hlas, spustil hned, že je mu smutno, že si tu nemá s kým povídat, na koho se dívat, že tu sám nevydrží.

V sluchátku se ozýval tenký hlas, zpočátku nedůvěřivý, zaražený, skoro zajíkavý, který teprve pod náporem manželových slov malinko roztával.

„Prosím tě, přijeď sem za mnou, přijeď za mnou hned, jak můžeš!" říkal Havel do sluchátka a slyšel ženu odpovídat, že by ráda, ale že má skoro každý den představení.

„Skoro každý den není každý den," řekl Havel a slyšel, že jeho žena má zítra volno, ale že neví, jestli by to na jeden den stálo za to.

„Jak tak můžeš mluvit? Copak nevíš, jaké bohatství je jeden den v tomto krátkém životě?"

„A ty se na mne opravdu nezlobíš?“ ptal se tenký hlas v sluchátku.

„Proč bych se měl zlobit?“ zlobil se Havel.

„Za ten dopis. Ty máš bolesti a já tě otravuju takovým pitomým, užárleným dopisem.“

Doktor Havel zahrnul mluvítko něhou a jeho žena prohlásila (hlasem už docela zjihlým), že zítra přijede.

„Stejně ti závidím,“ řekla Františka, když Havel zavěsil sluchátko. „Máš všechno. Holky na každém prstě a ještě šťastné manželství.“

Havel se díval na svou přítelkyni, která mluvila o závisti, ale pro samou dobrotu závidět pravděpodobně vůbec neuměla, a přišlo mu jí líto, neboť věděl, že radost z dětí nemůže nahradit jiné radosti, nehledě k tomu, že radost obtížená povinností zaskakovat za jiné radosti stane se brzo radostí příliš unavenou.

Odešel potom na oběd, po obědě spal, a když se vzbudil, vzpomněl si, že mladý redaktor ho očekává v kavárně, aby mu předvedl svou dívku. Oblékl se tedy a šel. Scházeje po schodišti léčebného domu, uviděl ve vestibulu u šatny vysokou ženu podobnou krásnému jezdeckému koni. Ach, to se nemělo stát; právě takové ženy se totiž Havlovi vždycky pekelně líbily. Šatnářka podávala vysoké ženě plášť a doktor Havel přiskočil, aby jí do něho pomohl. Žena podobná koni nedbale poděkovala a Havel řekl: „Mohu pro vás ještě něco udělat?“ Usmíval se na ni, ona však odpověděla bez úsměvu, že ne, a rychle běžela ven z budovy.

Doktor Havel to pocítil jako políček a v obnoveném stavu siroby se vydal do kavárny.

7

Redaktor už seděl slušnou chvíli v boxu vedle své dívenky (vybral si místo, odkud bylo vidět ke vchodu) a vůbec se nebyl s to soustředit na rozhovor, který mezi nimi jindy vesele a neúnavně šumíval. Měl trému z Havlova příchodu. Poprvé se dnes pokusil podívat na dívenku kritičtějším okem, a zatímco ona cosi povídala (naštěstí opravdu pořád cosi povídala, takže mladíkův vnitřní nepokoj zůstal nepovšimnut), objevil několik drobných vad na její kráse; velice ho to znepokojilo, i když se hned vzápětí ujišťoval, že ty drobné vady činí její krásu vlastně zajímavější a právě ony mu celou její bytost něžně zdůvěrňují.

Mladík měl totiž dívku rád.

Ale měl-li ji rád, proč přistoupil na ten pro ni tak ponižující nápad, aby ji se zhýralým doktorem kolaudovali? A dáme-li mu i jakési rozhřešení, připouštějíce, že to pro něho byla jen klukovská hra, jak to, že pouhou hrou byl takto ztrémován a znepokojen?

Nebyla to hra. Mladík opravdu nevěděl, jaká jeho dívka je, nebyl s to posoudit míru její krásy a přitažlivosti.

Ale což byl tak naivní a zcela nezkušený, že nerozeznal hezkou ženu od nehezké?

Nikoli, mladík nebyl tak zcela nezkušený, poznal už pár žen a měl s nimi lecjakou pletku, jenomže se při tom soustředil mnohem víc na sebe než na ně. Všimněte si třeba téhle pozoruhodné zajímavosti: mladík si pamatuje přesně, kdy jak byl s kterou ženou oblečen, ví, že tehdy a tehdy měl příliš široké kalhoty a trpěl vědomím jejich nesluši-vosti, ví, že jindy měl bílý svetr, v němž si připadal jako elegantní sportsman, ale neví vůbec, jak kdy byly oblečeny jeho přítelkyně.

Ano, to je pozoruhodné: během svých krátkých známostí podnikal v zrcadle dlouhé a podrobné studie sebe sama, zatímco své ženské protějšky vnímal jen globálně, povšechně; bylo pro něho mnohem důležitější, jak on sám je viděn očima partnerky, než jak se partnerka jeví jemu. Tím nemá být řečeno, že mu nezáleželo na tom, zda dívka, s níž chodil, je či není hezká. Záleželo. Neboť nebyl pouze on sám viděn očima partnerky, ale oba dva spolu byli viděni a souzeni očima jiných (očima světa), a on stál velice o to, aby svět byl s jeho dívkou spokojen, neboť věděl, že v ní je souzena jeho volba, jeho vkus, jeho úroveň, tedy on sám. Ale právě proto, že mu šlo o soud jiných, nespoléhal se příliš na vlastní oči, nýbrž až dosud mu stačilo, že se vposlouchával do hlasu obecného mínění a ztotožňoval se s ním.

Co však byl hlas obecného mínění proti hlasu mistra a znalce? Redaktor se díval netrpělivě ke vchodu, a když konečně uviděl Havlovu postavu ve skleněných dveřích, zatvářil se překvapeně a řekl dívce, že sem čirou náhodou vchází jistý znamenitý muž, s nímž v příštích dnech chce napsat rozhovor pro svůj časopis. Šel Havlovi naproti a dovedl ho ke stolu. Dívenka, na chvíli vyrušena představováním, nalezla brzy nit nepřetržité hovornosti a pokračovala v povídání.

Doktor Havel, odmítnutý před deseti minutami ženou podobnou jezdeckému koni, se díval zdlouha na švitořící holčičku a potápěl se hlouběji a hlouběji do své mrzutosti. Holčička nebyla krasavice, ale byla docela roztomilá a nebylo pochyb, že by ji doktor Havel (o němž se tvrdívalo, že je jako smrt a bere všechno) kdykoli bral, a to velmi rád. Měla na sobě několik znaků, charakteristických zvláštní estetickou dvojznačností: měla u kořene nosu roztroušenouպršku zlatých pih, což bylo možno vnímat jako poruchu na bělosti pleti, ale také naopak jako její přirozený šperk; byla velice křehká, což bylo možno chápat jako nedostatečnou naplněnost ideálních ženských proporcí, ale také naopak jako dráždivou jemnost dítěte trvajícího v ženě; byla nesmírně povídavá, což bylo možno chápat jako obtížnou žvanivost, ale také naopak jako výhodnou vlastnost dopřávající partneru, aby se pod loubím jejích slov mohl kdykoli nepozorovaně a nepřistiženě oddávat vlastním myšlenkám.

Redaktor pozoroval tajně a úzkostně doktorovu tvář, a když se mu zdálo, že je nebezpečně (a pro jeho naděje nepříznivě) zamyšlená, zavolal na číšníka a objednal tři koňaky. Dívenka protestovala, že nebude pít, a pak se zas nechala zdlouhavě přesvědčovat, že pít může a má, a doktor Havel si chmurně uvědomoval, že ta esteticky dvojznačná bytost, vyjevující ve veletoku slov veškeru jednoduchost svého nitra, by byla s největší pravděpodobností jeho třetím dnešním neúspěchem, kdyby se o ni pokusil, neboť on, doktor Havel, kdysi mocný jako smrt, není už tím, kým býval.

Pak přinesl číšník koňaky, všichni tři je pozvedli k přiťuknutí a doktor Havel pohlížel do modrých dívenčiných očí jako do nepřátelských očí někoho, kdo mu nebude patřit. A když ty oči pochopil v celém významu jako nepřátelské, oplatil jim nepřátelství a uviděl před sebou náhle bytost esteticky docela jednoznačnou: neduživou holčičku, s tváří pocákanou špínou pih, nesnesitelně upovídanou.

I když ta proměna Havla potěšila a stejně ho potěšily mladíkovy oči visící na něm s úzkostnou tázavostí, byly to radosti příliš malé ve srovnání s hloubkou mrzutosti, jež jím zela. Havla napadlo, že by neměl prodlužovat toto setkání, jež mu nepřináší žádné štěstí; ujal se proto rychle slova, pronesl před mladíkem a dívenkou několik půvabných bonmotů, pak vyjádřil své potěšení, že s nimi směl strávit milou chvíli, prohlásil, že kamsi spěchá, a rozloučil se.

Když byl ve skleněných dveřích, ťukl se mladík do čela a řekl dívence, že úplně zapomněl dohodnout s doktorem rozhovor pro časopis. Vyskočil z boxu a Havla dostihl až na ulici. „Tak co jí říkáte," zeptal se.

Havel se dlouze podíval do mladíkových očí, jejichž oddaná netrpělivost ho hřála.

Zato redaktora Havlovo mlčení mrazilo, takže se už předem dával na ústup: „Já vím, krasavice to není..."

Havel řekl: „Ne, krasavice to není."

Redaktor sklopil hlavu: „Trochu moc mluví. Ale jinak je milá!"

„Ano, ta dívenka je opravdu milá," řekl Havel, „ale milý může být i pes, kanárek či kachnička kolébající se po dvorku. V životě, příteli, nejde o to dobýt co největšího počtu žen, protože to je úspěch příliš vnější. Spíš jde o to pěstovat vlastní náročnost, protože v té se zrcadlí míra vaší osobní hodnoty. Pamatujte si, příteli, že správný rybář hází malé ryby zpátky do vody."

Mladík se začal omlouvat a tvrdil, že měl sám o dívce značné pochyby, o čemž ostatně svědčí to, že žádal Havla o posouzení.

„No, nic," řekl Havel, „netrapte se tím."

Mladík však pokračoval v omluvách a výmluvách a poukazoval na to, že na podzim je v lázeňském městě o krásné ženy nouze a člověk bere zavděk tím, co je.

„V té věci s vámi nesouhlasím,“ odmítl ho Havel. „Viděl jsem tu několik mimořádně přitažlivých žen. Ale něco vám řeknu. Existuje jakási vnější úhlednost ženy, kterou vkus maloměsta omylem považuje za krásu. A potom existuje skutečná erotická krása ženy. Tu ovšem poznat pouhým pohledem není maličkost. To je umění.“ Pak podal mladíkovi ruku a odcházel.

8

Redaktor upadl do strašného stavu: pochopil, že je nenapravitelný hlupák, ztracený v nedohledné (ano, zdála se mu nedohledná a nekonečná) poušti vlastní mladosti; uvědomil si, že propadl v očích doktora Havla; a vyjevilo se mu nade všechnu pochybnost, že jeho dívka je nezajímavá, bezvýznamná a nepěkná. Když si k ní opět přisedl do boxu, zdálo se mu, že všichni návštěvníci kavárny i s oběma pobíhajícími číšníky to vědí a zlomyslně ho litují. Zavolal, že chce platit, a vysvětlil dívce, že má neodkladnou práci a musí už jít. Dívenka posmutněla a mladíkovi se sevřelo srdce žalem: i když věděl, že ji jako správný rybář hodí zpět do vody, přesto ji měl v hloubi duše stále (tajně a zahanbeně) rád.

Ani příští ráno nepřineslo světlo do jeho chmurné nálady, a když uviděl kráčet proti sobě po lázeňském náměstí doktora Havla s elegantní ženou, pocítil v sobě závist podobnou téměř zášti: ta dáma byla až křiklavě krásná a nálada doktora Havla, který na něho hned vesele kýval, až křiklavě bujará, takže se redaktor v jejím svitu cítil ještě ubožejší.

„To je redaktor zdejšího časopisu; seznámil se se mnou jen proto, aby tě mohl poznat,“ představil ho Havel krasavici.

Když mladík poznal, že je před ním žena, kterou zná z filmového plátna, jeho nejistota ještě vzrostla; Havel ho nutil, aby se s nimi procházel, a redaktor, protože nevěděl, co říci, začal vysvětlovat svůj někdejší žurnalistický návrh a doplnil ho novým nápadem: udělal by prý pro časopis rozhovor s oběma manželi dohromady.

„Milý příteli," napomenul ho Havel, „rozhovory, které jsme spolu vedli, byly příjemné a vaší zásluhou i zajímavé, řekněte mi však, proč bychom je měli zveřejňovat v listu určeném žlučníkářům a majitelům dvanácterníkových vředů?"

„Ty vaše rozhovory si dovedu představit," usmívala se paní Havlová.

„Mluvili jsme o ženách," pravil doktor Havel. „Našel jsem pro toto téma v panu redaktorovi vynikajícího partnera a debatéra, světlého přítele mých sychravých dní."

Paní Havlová se obrátila na mladíka: „Nenudil vás?"

Redaktor byl potěšen, že ho doktor nazval svým světlým přítelem, a do jeho závisti se začala znovu mísit vděčná oddanost; prohlásil, že spíš on asi nudil doktora; je si totiž příliš vědom své nezkušenosti a nezajímavosti, ba — dodal dokonce — své nicotnosti.

„Ach, můj drahý," smála se herečka, „ty jsi se musel hrozně vytahovat!"

„To není pravda," zastal se doktora redaktor. „Vy totiž, milostivá paní, nevíte, co je to malé město, co je to tenhle Zapadákov, v němž žiju."

„Vždyť je tu krásně!" protestovala herečka.

„Ano, pro vás, když jste sem přijela na chvíli. Ale já tu žiju a budu žít. Pořád stejný okruh lidí, které znám už nazpaměť. Pořád stejní lidé, kteří si všichni myslí totéž, a to, co si myslí, jsou samé povrchnosti a hlouposti. Musím s nimi chtě nechtě vyjít a ani si neuvědomuju, že se jim pomalu přizpůsobuji. Ta hrůza, že bych se mohl stát jedním z nich! Ta hrůza, vidět svět jejich krátkozrakýma očima!"

Redaktor mluvil se vzrůstajícím zanícením a herečce se zdálo, že v jeho slovech slyší van věčného protestu mládí; to ji zaujalo, to ji strhlo a řekla: „Nesmíte se přizpůsobit! Nesmíte!"

„Nesmím," přisvědčil mladík. „Pan doktor mi včera otevřel oči. Musím za každou cenu překročit bludný kruh tohohle prostředí.

Bludný kruh té malosti, té průměrnosti. Překročit," opakoval mladík, „překročit."

„Mluvili jsme o tom," vysvětloval Havel ženě, „že si banální vkus maloměsta vytváří falešný ideál krásy, který je v podstatě neerotický, ba antierotický, kdežto skutečné, výbušné erotické kouzlo zůstává tímto vkusem nepovšimnuto. Chodí kolem nás ženy, které by byly s to dovést muže k nejzávratnějším dobrodružstvím smyslů, a nikdo je tu nevidí."

„Je to tak," dotvrzoval mladík.

„Nikdo je nevidí," pokračoval doktor, „protože neodpovídají normám zdejších krejčí; erotické kouzlo se totiž projevuje spíš deformací než pravidelností, spíš výrazností než uměřeností, spíš originalitou než konfekční pěkností."

„Ano," souhlasil mladík.

„Znáš Františku," řekl Havel své ženě.

„Znám," řekla herečka.

„A víš přece, kolik mých přátel by za jednu noc s ní dalo všechno své jmění. Dám krk za to, že v tomhle městě si jí nikdo ani nevšimne. No řekněte, pane redaktore, vždyť vy doktorku znáte, všiml jste si někdy, jaká je to mimořádná žena?"

„Ne, opravdu ne!" řekl mladík. „Vůbec nikdy mne nenapadlo podívat se na ni jako na ženu!"

„To se ví," řekl Havel. „Zdála se vám málo hubená. Chyběly vám na ní pihy a povídavost."

„Ano," řekl mladík nešťastně, „vy jste to včera poznal, jaký jsem blbec."

„Ale všiml jste si někdy, jak jde?" pokračoval Havel. „Všiml jste si, jak její nohy v chůzi přímo mluví? Pane redaktore, kdybyste slyšel, co ty nohy vyprávějí, tak byste se červenal, i když vím, že jste jinak protřelý prostopášník."

9

„Děláš si z nevinných lidí blázny," řekla herečka svému muži, když se rozloučili s redaktorem.

„Víš dobře, že je to u mne známka dobré nálady. A přísahám ti, že ji tu mám poprvé od chvíle, co jsem sem přijel."

Tentokrát doktor Havel nelhal; když uviděl před polednem přijíždět do stanice autobus, když spatřil za sklem svou sedící ženu a viděl ji pak smát se na stupátku, byl šťasten, a protože předchozí dny uchovaly v něm zásoby veselosti netknuté, projevoval po celý den radost téměř potrhle. Chodili spolu po kolonádě, kousali kulaté sladké oplatky, navštívili na skok Františku, aby vyslechli čerstvé informace o nových výrocích jejího syna, absolvovali s redaktorem procházku popsanou v předchozí kapitole a dělali si legraci z pacientů zdravotně promenujících ulicemi. Při té příležitosti si doktor Havel všiml, že někteří kolemjdoucí upírají na herečku dlouhé pohledy; když se otočil, zjistil, že stojí a dívají se za nimi.

„Jsi odhalena," řekl Havel. „Lidé tu nemají co dělat a navštěvují vášnivě biograf."

„Vadí ti to?" zeptala se herečka, která považovala veřejnost své profese za jakési provinění, neboť toužila jako všichni praví milenci po lásce tiché a skryté.

„Naopak," řekl Havel a smál se. Bavil se pak dlouho dětinskou hrou, že dopředu hádal, kdo z kolemjdoucích herečku pozná a kdo ne, a sázel se s ní, kolik lidí ji pozná v příští ulici. A otáčeli se strejcové, venkovanky, děti, ale i těch několik pohledných žen, které se toho času v lázních vyskytovaly.

Havel, který prožíval poslední dny v ponižující neviditelnosti, byl pozorností kolemjdoucích mile oblažen a zatoužil, aby paprsky zájmu dopadaly co nejvíc i na něho; objímal proto herečku paží kolem pasu, skláněl se k ní, šeptal jí do ucha nejrůznější roztomilosti a lascivity, takže i ona se tiskla na oplátku k němu a pozvedla k jeho tváři rozveselené oči. A Havel cítil pod mnoha pohledy, jak znovu nabývá ztracené viditelnosti, jak se jeho matné rysy stávají patrnými a výraznými, a cítil opět pyšnou radost ze svého těla, ze své chůze, ze svého bytí.

Když takto milenecky spleteni bloumali hlavní ulicí kolem výkladů, uviděl Havel v obchodě s loveckými potřebami světlovlasou masérku, která s ním včera tak nezdvořile naložila; stála v prázdném krámě a žvanila s prodavačkou. „Pojď," řekl překvapené ženě, „jsi nejlepší bytost na celém světě; chci tě obdarovat," a vzal ji za ruku a vedl do obchodu.

Obě žvanící ženy zmlkly; masérka se podívala dlouze na herečku, pak krátce na Havla, opět na herečku a opět na Havla; Havel to s uspokojením zaznamenal, ale aniž jí věnoval jediný pohled, obhlížel rychle vystavené zboží; viděl paroží, brašny, brokovnice, dalekohledy, hole, košíky pro psy.

„Co byste si přál?" ptala se ho prodavačka.

„Moment," řekl Havel; konečně uviděl pod sklem pultu černé píšťalky; ukázal na jednu z nich. Prodavačka mu ji podala, Havel přiložil píšťalku k ústům, pískl, pak ji prohlížel ze všech stran a znovu slabě pískl. „Znamenitá," pochválil ji prodavačce a položil před ni požadovanou pětikorunu. Píšťalku podal své ženě.

Herečka spatřila v dárku zbožňované manželovo dětinství, rošťáctví, jeho smysl pro nesmysl a poděkovala mu krásným, zamilovaným pohledem. Ale Havlovi to bylo málo; zašeptal jí: „To je celý tvůj vděk za tak krásný dar?" A tak ho herečka políbila. Obě ženy z nich nespouštěly pohled, ani když už opouštěli krám.

A pak zase bloumali ulicemi a parkem, kousali oplatky, pískali na píšťalku, seděli na lavičce a sázeli se, kolik kolemjdoucích se ohlédne. Když navečer vstupovali do restaurace, málem se srazili s ženou podobnou jezdeckému koni. Podívala se po nich překvapeně, dlouze na herečku, krátce na Havla, znovu na herečku, a když se opět podívala na Havla, bezděčně se mu uklonila. Havel se uklonil též, a sníživ se pak k uchu své ženy, zeptal se jí šeptem, má-li ho ráda. Herečka se na něho zamilovaně podívala a pohladila ho po tváři.

Pak usedli ke stolu, dali si skromné jídlo (neboť herečka úzkostlivě dbala na manželovu dietu), pili červené víno (neboť to jediné směl Havel pít) a na paní Havlovou přišla chvilka dojetí. Naklonila se k manželovi, vzala ho za ruku a řekla mu, že je to jeden z nejhezčích dnů, jaké zažila; svěřila se mu, jak jí bylo smutno, když odjížděl do lázní; znovu se omlouvala za ztřeštěný, žárlivý dopis a děkovala za to, že jí zatelefonoval a pozval k sobě; řekla mu, že by jí stálo za to jet za ním, i kdyby ho měla vidět jen minutu; rozhovořila se pak o tom, že život s ním je pro ni život v ustavičném neklidu a nejistotě, jako by jí Havel věčně a stále unikal, ale že právě proto je pro ni každý den novým zážitkem, novým zamilováním, novým darem.

Pak spolu odešli do Havlova jednolůžkového pokoje a hereččina radost došla brzy svého vyvrcholení.

10

O dva dny později šel doktor Havel opět na masáž zvanou subakvální a přišel opět o něco později, protože, po pravdě řečeno, nikdy nikam nechodil včas. A byla tam opět světlovlasá masérka, jenomže tentokrát se na něho nemračila, naopak usmívala se a oslovila ho *pane doktore*, podle čehož Havel poznal, že si šla přečíst do kanceláře jeho lázeňskou kartu, anebo se na něho vyptávala. Doktor Havel tento zájem s uspokojením zaznamenal a začal se svlékat za plentou kabiny. Když na něj masérka zavolala, že je vana plná, vykročil se sebejistě vystrčeným pupkem a s požitkem se rozvalil do vody.

Masérka otočila kohoutkem na rozvodné desce a zeptala se ho, zdali je jeho paní dosud v lázních. Havel pravil, že ne, a masérka se zeptala, jestli paní bude zase hrát v nějakém pěkném filmu. Havel pravil, že ano, a masérka pozvedla jeho pravou nohu. Když ho proud vody zalechtal na šlapce, masérka se usmála a řekla, že má pan doktor, jak vidět, moc citlivé tělíčko. Pak mluvili dál a Havel se zmínil o tom, že v lázních je nuda. Masérka se mnohovýznamně usmála a řekla, že pan doktor si jistě umí zařídit život tak, aby se nenudil. A když se nad něho hluboce skláněla, přejíždějíc mu ústím hadice po prsou, a Havel pochválil její ňadra, jejichž horní půli ze své polohy dobře viděl, masérka odpověděla, že pan doktor zajisté již viděl krásnější.

Z toho všeho zdálo se být Havlovi zřejmé, že krátká přítomnost jeho ženy ho dokonale proměnila v očích milého, svalnatého děvčete, že nabyl náhle půvabu a kouzla, a co víc: že jeho tělo je pro ni nepochybně příležitostí, která by ji mohla tajně zdůvěrnit se známou herečkou, učinit ji rovnu slavné ženě, za kterou se všichni otáčejí; Havel pochopil, že je mu náhle vše dovoleno, vše předem tiše slíbeno.

Jenomže jak už to tak bývá, když je člověk spokojen, rád bohorovně odmítá příležitosti, jež se mu nabízejí, aby se tak utvrdil v blahé nasycenosti. Havlovi zcela stačilo, že světlovlasá dívka ztratila nezdvořilou nepřístupnost, že měla sladký hlas a pokorné oči, že se mu takto nepřímo nabízela — a vůbec po ní netoužil.

Pak se musil obrátit na břicho, vystrčit bradu z vody a nechat se znovu od pat k šíji přejíždět ostrým proudem vody. Tato poloha se mu zdála být bohoslužebnou polohou pokory a díkuvzdání: myslil na svou ženu, na to, jak je krásná, na to, jak ji miluje a ona miluje jeho, i na to, že je jeho šťastnou hvězdou, která mu naklání přízeň náhod i svalnatých slečen.

A když byla masáž u konce a on se vztyčil ve vaně, aby z ní vykročil, zdála se mu potem skropená masérka tak zdravě a šťavnatě pěkná a její oči tak poslušně oddané, že zatoužil uklonit se směrem, kde v dálkách tušil svou ženu. Zdálo se mu, že masérčino tělo tu stojí na veliké hereččině ruce a že mu je ta ruka podává jako milostné poselství, jako dar z lásky. A připadalo mu náhle jako hrubost vůči vlastní ženě odmítnout tento dar, odmítnout tu něžnou pozornost. Usmál se proto na zpocenou dívku a řekl jí, že si dnes pro ni uvolnil večer a bude ji čekat v sedm hodin u Vřídla. Děvče souhlasilo a doktor Havel se zahalil do veliké utěrky.

Když se oblékl a pročísl si vlasy, zjistil, že je v mimořádně dobré náladě. Chtělo se mu klábosit a stavil se proto u Františky, které jeho návštěva přišla vhod, neboť i ona byla ve výtečné míře. Vyprávěla páté přes deváté o všem možném, ale stále se vracela k tématu, jehož se dotkli při posledním setkání: mluvila o svém věku a ve větách nejasně formulovaných naznačovala, že člověk nemá kapitulovat před počtem let, že počet let není vždycky nevýhodou a že je to hrozně krásný pocit, když se člověk přesvědčí, že se s těmi mladšími může klidně měřit. „A děti taky nejsou všechno," řekla najednou zničehonic, „ne, mám ráda své děti," upřesnila se, „ty víš, jak je mám ráda, ale jsou na světě i jiné věci..."

Františčiny úvahy nevybočily ani na chvíli z neurčité abstraktnosti a nezasvěcenci by se patrně jevily jako pouhé blábolení. Jenomže Havel nebyl nezasvěcenec a dohlédal k obsahu, jenž se za blábolením skrýval. Usoudil, že jeho vlastní štěstí je jen článkem v celém řetězci štěstí, a protože měl přejícné srdce, jeho výtečná nálada se zdvojnásobila.

11

Ano, doktor Havel hádal správně: redaktor vyhledal lékařku ještě téhož dne, kdy mu ji jeho mistr vychválil. Už po několika větách v sobě objevil překvapivou smělost a řekl jí, že se mu líbí a že se s ní chce sejít. Lékařka polekaně koktala, že je starší než on a že má děti. Tím získal redaktor sebevědomí a slova se mu jen hrnula: tvrdil, že doktorka má v sobě skrytou krásu, která platí víc než banální úhlednost; chválil její chůzi a řekl, že její nohy v chůzi jako by mluvily.

A dva dny poté, téhož večera, co doktor Havel docházel spokojeně k Vřídlu, kde už z dálky viděl svalnatou světlovlásku, přecházel redaktor netrpělivě svou stísněnou mansardou; byl si téměř jist úspěchem, ale o to víc se bál nějaké chyby či náhody, která by ho o něj mohla připravit; každou chvíli otvíral dveře, aby se podíval dolů schodištěm; konečně ji uviděl.

Pečlivost, s níž byla paní Františka oblečena a nalíčena, ji poněkud vzdálila všednodennímu zjevu ženy v bílých kalhotách a bílém plášti; rozechvělému mladíkovi se zdálo, že její erotické kouzlo, dosud jen tušené, stojí tu před ním téměř nestoudně obnaženo, takže ho přepadla respektuplná nesmělost; aby ji překonal, objal lékařku v otevřených dveřích a začal ji zuřivě líbat. Byla tou náhlostí polekána a prosila ho, aby ji nechal sednout. Pustil ji, ale hned se jí posadil k nohám a líbal jí na kolenou punčochy. Položila mu ruku do vlasů a pokusila se ho jemně odstrčit.

Všimněme si, co mu říkala. Nejdříve několikrát opakovala: „musíte být hodný, musíte být hodný, slibte mi, že budete hodný". Když mladík říkal: „ano, ano, budu hodný" a sunul přitom svá ústa dál po drsné tkanině, říkala: „ne, ne, to ne, to ne", a když je sunul ještě výš, začala mu náhle tykat a prohlásila: „ty jsi divoch, ó ty jsi divoch!"

Tímto prohlášením bylo rozhodnuto vše. Mladík nenarážel již na žádný odpor. Byl unesen; unesen sám sebou, unesen rychlostí svého zdaru, unesen doktorem Havlem, jehož génius tu dlel s ním a vstupoval do něho, unesen nahotou ženy, jež pod ním ležela v milostném spojení. Toužil být mistrem, toužil být virtuosem, toužil prokázat smyslnost a dravost. Nadzvedával se mírně nad lékařku, obhlížel divokým zrakem její ležící tělo a mumlal: „Ty jsi krásná, ty jsi nádherná, ty jsi nádherná..."

Lékařka si přikryla oběma rukama břicho a řekla: „Nesmíš se mi posmívat..."

„Co blázníš, já se ti neposmívám, jsi nádherná!"

„Nedívej se na mě," přitiskla ho k sobě, aby ji neviděl: „Mám za sebou dvě děti, víš?"

„Dvě děti?" nechápal mladík.

„Je to na mně vidět, nesmíš se dívat."

To mladíka poněkud zabrzdilo v počátečním rozletu a jen s obtížemi se dostával znovu do patřičného vytržení; aby se mu to lépe dařilo, snažil se unikající opojnost skutečnosti posílit slovy a šeptal lékařce do ucha, jak je to krásné, že je tu s ním nahá, docela nahá.

„Jsi milý, jsi strašně milý," říkala mu lékařka.

Mladík opakoval dále slova o lékařčině nahotě a ptal se jí, zda i pro ni je to vzrušující, že je tu s ním nahá.

„Jsi dítě," řekla lékařka, „ano, je to vzrušující," ale dodala po malé chvíli, že už ji vidělo nahou tolik lékařů, že jí to ani nepřijde: „víc lékařů než milenců," zasmála se a neustávajíc v milostném aktu, rozpovídala se o obtížných porodech. „Ale stálo to za to," řekla nakonec: „Mám dvě krásné děti. Krásné, krásné!"

Stěží nabyté vytržení se z redaktora opět vytrácelo, ba měl náhle dojem, že sedí v kavárně a povídají si s lékařkou u šálku čaje; to ho rozhořčilo; zesílil dravost svých pohybů a ještě jednou se ji pokusil připoutat k smyslnějším představám: „Když jsem za tebou posledně přišel, vědělas to, že se spolu budeme milovat?"

„A ty?"

„*Chtěl* jsem to," řekl redaktor, „strašně jsem to *chtěl*!" a vložil do slova „chtěl" nesmírnou vášeň.

„To jsi jako můj syn," smála se mu do ucha lékařka, „ten by taky všechno chtěl. Já se ho vždycky ptám: a nechtěl bys hodinky s vodotryskem?"

A tak se milovali; paní Františka si výborně popovídala.

Když pak seděli vedle sebe na gauči, nazí a unavení, lékařka hladila redaktora po vlasech a říkala: „Ty máš šešulku jako on."

„Kdo?"

„Můj syn."

„Ty pořád myslíš na syna," řekl redaktor s nesmělým nesouhlasem.

„To víš," řekla pyšně, „je to mámin syn, mámin syn."

Pak vstala a oblékala se. A najednou ji přepadl v tom mládeneckém pokojíku pocit, že je mladá, že je úplně mladá holka, a bylo jí bláznivě dobře. Když odcházela, objala redaktora a měla oči mokré vděčností.

12

Po krásné noci nastal Havlovi krásný den. Při snídani promluvil několik významných slov se ženou podobnou jezdeckému koni a v deset hodin, když se vrátil z procedur, čekal ho v pokoji láskyplný dopis od jeho ženy. Pak se šel procházet po kolonádě v zástupu pacientů; měl porcelánovou nádobku u úst a zářil pohodou. Ženy, které ho kdysi nevšímavě míjely, upíraly na něho pohledy, takže se jim lehce ukláněl na pozdrav. Když spatřil redaktora, vesele na něho kynul: „Navštívil jsem dnes dopoledne doktorku a podle jistých známek, které nemohou uniknout dobrému psychologovi, zdá se mi, že jste došel úspěchu!"Mladík netoužil po ničem víc než svěřiti se svému mistru, avšak vlastní průběh uplynulého večera ho poněkud mátl: nebyl si jist, zda to byl večer vskutku tak úchvatný, jak měl být, a nevěděl proto, zda by ho přesný a pravdivý referát v očích Havla vyznamenal či ponížil; váhal, co mu má svěřit a co ne.

Když však teď viděl Havlovu tvář zářící veselím a nestydatostí, nemohl než mu odpovědět podobným tónem, veselým a nestydatým, a nadšenými slovy chválil ženu, kterou mu Havel doporučil. Vyprávěl o tom, jak se mu zalíbila, když se na ni poprvé podíval nemaloměstskýma očima, vyprávěl o tom, jak rychle souhlasila, že k němu přijde, i o tom, v jaké znamenité rychlosti se jí zmocnil.

Když mu doktor Havel kladl různé otázky a podotázky, aby se dobrali všech odstínů probírané věci, přibližoval se mladík ve svých výpovědích chtě nechtě čím dál víc skutečnosti a podotkl posléze, že ač byl se vším znamenitě spokojen, přece jen ho poněkud uvedla do rozpaků konverzace, kterou s ním lékařka vedla při milování.

Doktora Havla to velmi zajímalo, a když redaktora přiměl, aby mu dialog podrobně opakoval, přerušoval jeho vyprávění nadšenými výkřiky: „To je výborné! No to je nádherné!", „Ta věčná matička!" a: „Kamaráde, to vám závidím!"

V té chvíli se zastavila před oběma muži žena podobná jezdeckému koni. Doktor Havel se uklonil a žena mu podávala ruku: „Nezlobte se," omlouvala se, „mám maličké zpoždění."

„Nic se nestalo," řekl Havel, „bavím se tu výborně se svým přítelem. Musíte mi odpustit, že s ním ještě dokončím rozhovor."

A nepouštěje ruku vysoké ženy, obrátil se na redaktora: „Milý příteli, to, co jste mi vyprávěl, překročilo všechna má tušení. Pochopte totiž, že vlastní zábava těla ponechaná jen své němotě je mrzutě stejná, jedna žena se v ní připodobňuje druhé a všechny ve všech jsou zapomínány. A přece se vrháme do milostných radostí především proto, abychom si je pamatovali! Aby jejich světelné body spojily zářivým pruhem naši mladost se stářím! Aby udržovaly naši paměť ve věčném plameni! A vězte, příteli, že jedině slovo vyřčené v této nejvšednovšednější scéně je s to ji ozářit tak, aby zůstala nezapomenutelná. Vyprávějí o mně, že jsem sběratelem žen. Ve skutečnosti jsem mnohem spíše sběratelem slov. Věřte mi, že včerejší večer nikdy nezapomenete, a buďte proto šťasten!"

Pak mladíkovi pokynul, a drže za ruku vysokou ženu podobnou koni, vzdaloval se s ní zvolna lázeňskou promenádou.

EDUARD A BŮH

Eduard a Bůh

1

Eduardův příběh můžeme výhodně započít ve venkovském domku jeho staršího bratra. Bratr ležel na gauči a říkal Eduardovi: „Klidně se na tu babu obrať. Je to sice svině, ale já věřím, že i v takových bytostech existuje svědomí. Právě proto, že mi kdysi provedla prasárnu, bude teď možná ráda, když jí dovolíš, aby své staré provinění odčinila na tobě."

Eduardův bratr byl pořád stejný: dobrák a lenoch. Právě takhle se asi povaloval na gauči ve své vysokoškolské mansardě, když tam před mnoha lety (to byl ještě Eduard klouček) prolenošil a prochrápal den Stalinovy smrti; příštího dne přišel nic netuše na fakultu a spatřil spolužákyni Čecháčkovou, kterak v okázalé strnulostiční uprostřed vestibulu jak socha žalu; třikrát ji obešel a pak se začal strašně smát. Dotčená dívka označila spolužákův smích za politickou provokaci a bratr musil odejít ze školy pracovat na vesnici, kde si od té doby pořídil domek, psa, manželku, dvě děti, a dokonce i chatu.

Právě v tom vesnickém domku ležel tedy teď na gauči a promlouval k Eduardovi: „Říkali jsme jí trestající bič dělnické třídy. Ale na tom ti nakonec nemusí záležet. Je to dnes stárnoucí ženská a na mladé kluky byla vždycky, takže ti vyjde vstříc."

Eduard byl tehdy velmi mlád. Právě dostudoval pedagogickou fakultu (tu, kterou nedostudoval bratr) a hledal místo. Poslušen bratrovy rady, zaklepal příští den na ředitelnu. Pak uviděl dlouhou, kostnatou paní s cikánsky mastnými černými vlasy, černýma očima a černým chmýřím pod nosem. Její škaredost ho zbavila trémy, do níž ho při jeho mládí stále ještě uvádívala ženská krása, takže se mu s ní podařilo promlouvat uvolněně, se vší roztomilostí, ba dvorností. Ředitelka přijímala jeho tón se zřejmým potěšením a několikrát pronesla s postřehnutelnou exaltovaností: „Potřebujeme tu mladé lidi." Slíbila, že mu vyhoví.

2

A tak se stal Eduard učitelem v malém českém městě. Neměl z toho radost ani žalost. Snažil se vždycky rozeznávat mezi vážným a nevážným, a svou učitelskou dráhu řadil do kategorie *nevážného.* Ne že by učitelování považoval za nevážné samo o sobě (naopak, velice na něm lpěl, protože věděl, že se nijak jinak neuživí), ale považoval je za nevážné vzhledem ke své podstatě. Nevybral si je. Vybrala mu je společenská poptávka, kádrové posudky, vysvědčení ze střední školy, přijímací zkoušky. Soustrojí všech těch sil ho nakonec vyklopilo (jako vyklápí jeřáb pytel na nákladní auto) ze střední školy na pedagogickou fakultu. Šel na ni nerad (byla pověrečně poznamenána bratrovým nezdarem), ale nakonec se podrobil. Pochopil však, že zaměstnání bude patřit k nahodilostem jeho života. Že k němu bude přilepeno jako umělý plnovous, jenž je k smíchu.

Je-li však *povinnost* něčím nevážným (k smíchu), je snad vážné naopak to, co je *nepovinné*: Eduard si našel brzy ve svém novém působišti mladou dívku, která mu připadala krásná, a začal se jí věnovat s vážností téměř opravdovou. Jmenovala se Alice a byla, jak se na prvních schůzkách ke svému žalu přesvědčil, značně zdrženlivá a ctnostná.

Mnohokrát se ji snažil obejmout při večerních procházkách rukou kolem zad tak, aby se jí dotkl zezadu okraje pravého ňadra, a pokaždé ho chytila za ruku a odsunula mu ji. Jednoho dne, když opakoval znovu tento pokus a ona mu (znovu) odsunula ruku, zastavila se a řekla: „Ty věříš v Boha?"

Svýma jemnýma ušima zaslechl Eduard v té otázce skrytý důraz a okamžitě zapomněl na ňadro.

„Věříš?" opakovala Alice otázku a Eduard si netroufal odpovědět. Nemějme mu tu neodvahu k upřímnosti za zlé; cítil se v novém působišti opuštěn a Alice se mu příliš líbila, než aby si ji chtěl kvůli jedné jediné odpovědi odradit.

„A ty?" zeptal se, aby získal čas.

„Já ano," řekla Alice a znovu naléhala, aby jí odpověděl.

Až dosud ho nikdy nenapadlo věřit v Boha. Pochopil však, že se k tomu nesmí přiznat, ba naopak, že by teď měl využít příležitosti a stlouci si z víry v Boha pěkného dřevěného koně, v jehož útrobách by podle antického příkladu nepozorovaně vklouzl do dívčina nitra. Jenomže Eduard neuměl říci Alici jen tak jednoduše *ano, věřím v Boha*; naprosto nebyl otrlý a styděl se lhát; sprostá přímočarost lži se mu příčila; byla-li už lež nezbytná, chtěl i v ní zůstat co nejvíc podobný pravdě. Proto odpověděl hlasem mimořádně přemýšlivým:

„Ani nevím, Alice, co ti mám na to říct. Jistě, věřím v Boha. Ale —," udělal pomlku a Alice k němu překvapeně vzhlédla. „Ale chci být k tobě úplně upřímný. Smím být k tobě upřímný?"

„Musíš být upřímný," řekla Alice. „Jinak by přece nemělo smysl, že jsme spolu."

„Opravdu?"

„Opravdu," řekla Alice.

„Někdy mne pronásledují i pochyby," řekl Eduard tichým hlasem. „Někdy pochybuji o tom, jestli opravdu existuje."

„Ale jak o tom můžeš pochybovat!" málem vykřikla Alice.

Eduard mlčel a po chvíli přemýšlení ho napadla známá myšlenka: „Když vidím kolem sebe tolik zla, ptávám se často, zda je možné, aby byl Bůh, který to všechno dopustil."

Znělo to tak smutně, že ho Alice chytla za ruku: „Ano, svět je opravdu plný zla. To já vím až moc dobře. Ale právě proto musíš věřit v Boha. Bez něho by to všechno utrpení bylo nadarmo. Nic by nemělo smysl. A to bych vůbec nemohla žít."

„Možná, že máš pravdu," řekl Eduard zamyšleně, a v neděli s ní šel do kostela. Namočil prsty do kropenky a pokřižoval se. Pak byla mše a zpívalo se, a on zpíval s ostatními nábožnou píseň, jejíž melodie mu byla povědomá a slova neznámá. Místo předepsaných slov volil tedy jen různé samohlásky a tón nasazoval vždy o zlomek vteřiny za ostatními, protože i melodii znal matně. Zato ve chvíli, kdy se ujistil o správnosti tónu, nechal rozeznít hlas v plné síle, takže si poprvé v životě uvědomil, že má krásný bas. Pak se všichni začali modlit otčenáš a některé staré paní si klekaly na zem. Nemohl odepřít svému nutkání a poklekl na kamennou podlahu též. Křižoval se mohutnými pohyby paže a zažíval přitom báječný pocit, že může dělat něco, co nikdy v životě nedělal, co nemůže dělat ani ve třídě, ani na ulici, nikde. Cítil se nádherně svobodný.

Když všechno skončilo, podívala se na něho Alice rozzářenýma očima: „Můžeš ještě říci, že o něm pochybuješ?"

„Ne," řekl Eduard.

A Alice řekla: „Chtěla bych tě ho naučit milovat tak, jak ho miluju já."

Stáli na širokých schodech vedoucích z kostela a Eduardova duše byla plna smíchu. Naneštěstí právě v té chvíli šla kolem ředitelka a uviděla je.

3

To bylo zlé. Musíme totiž připomenout (pro ty, jimž snad uniká historické pozadí příběhu), že kostely nebyly sice tenkrát lidem zakázany, ale přesto nebylo bez jistého nebezpečí je navštěvovat.

Není tak těžké to pochopit. Ti, kteří probojovávali to, co se nazývalo revolucí, chovali v sobě velkou pýchu, která se jmenuje: *stát na správné straně fronty.* Když už minulo od té doby deset, dvanáct let (jak tomu asi tak bylo v době našeho příběhu), čára fronty se začne rozplývat a s ní i její správná strana. Není divu, že bývalí stoupenci revoluce se cítí ošizeni a hledají si proto rychle fronty *náhradní*; dík náboženství mohou pak (jakožto ateisté proti věřícím) stát opět ve vší slávě na správné straně a uchovat si tak navyklý a drahocenný patos své nadřazenosti.

Ale po pravdě řečeno, i těm druhým byla náhradní fronta vhod, a nebude snad příliš předčasné, prozradíme-li, že právě mezi ně patřila Alice. Tak jako ředitelka chtěla stát na *správné* straně, Alice chtěla stát na *opačné* straně. V revolučních dnech znárodnili totiž jejímu tatínkovi obchod a Alice nenáviděla ty, kteří mu to způsobili. Ale jak měla dát nenávist najevo? Měla snad vzít nůž a jít otce mstít? Tohle není v Čechách zvykem. Alice měla lepší možnost, jak manifestovat svou opačnost: začala věřit v Boha.

Takto přicházel Pán Bůh na pomoc oběma stranám a Eduard se jeho zásluhou ocitl mezi dvěma ohni.

Když v pondělí ráno přistoupila k Eduardovi ve sborovně ředitelka, cítil se velmi nejistý. Nemohl se totiž nijak dovolávat přátelského ovzduší jejich prvního rozhovoru, protože s ní už od té doby (ať zásluhou své bezelstnosti či své ledabylosti) v dvorných konverzacích nikdy nepokračoval. Ředitelka ho proto mohla vším právem oslovit s úsměvem okázale chladným:

„Včera jsme se viděli, že?"

„Ano, viděli," řekl Eduard.

Ředitelka pokračovala: „Nechápu, jak může mladý člověk chodit do kostela." Eduard pokrčil rozpačitě rameny a ředitelka vrtěla hlavou: „Mladý člověk."

„Byl jsem si prohlédnout barokní interiér chrámu," řekl Eduard omluvně.

„Ach tak," řekla ředitelka ironicky, „nevěděla jsem, že máte takové umělecké zájmy."

Tenhle rozhovor nebyl Eduardovi vůbec příjemný. Vzpomněl si na to, jak jeho bratr obešel třikrát svou spolužákyni a jak se pak strašně smál. Zdálo se mu, že se rodinné příběhy opakují, a dostal strach. V sobotu se Alici telefonicky omluvil, že nepůjde do kostela, protože je nachlazen.

„Jsi nějak moc choulostivý," vytkla mu to po neděli Alice a Eduardovi se zdálo, že její slova znějí bezcitně. Začal jí proto vyprávět (záhadně a nejasně, protože ke svému strachu a jeho pravým příčinám se styděl přiznat) o příkořích, která se mu dějí ve škole, a o hrozné ředitelce, která ho bezdůvodně pronásleduje. Chtěl ji přimět k lítosti a citupné účasti, ale Alice řekla:

„To moje šéfová je zase docela príma," a chichotavě začala vyprávět jakési povídačky ze svého zaměstnání. Eduard poslouchal její veselý hlas a stával se zasmušilejší a zasmušilejší.

4

Dámy a pánové, byly to týdny trýzně! Eduard po Alici pekelně toužil. Její tělo ho vzněcovalo a právě to tělo mu bylo zhola nepřístupné. Trýznivá byla i scenérie, v níž se děly jejich schůzky; buď spolu bloumali hodinu dvě po ztemnělých ulicích, nebo šli do kina; stereotypnost i nepatrné erotické možnosti obou těch variant (jiné nebyly) napověděly Eduardovi, že by snad dosáhl u Alice výraznějších úspěchů, kdyby se s ní mohl setkat v jiném prostředí. Navrhl jí jednou s bezelstnou tváří, že by mohli na sobotu a neděli zajet na venkov za jeho bratrem, který má v lesnatém údolí u řeky chatu. Líčil jí zaníceně nevinné přírodní krásy, avšak Alice (ve všem jiném naivní a důvěřivá) ho bystře prokoukla a rázně odmítla. Nebyla to totiž jen Alice, kdo mu odpíral. Byl to sám (věčně bdělý a ostražitý) Alicin Bůh.

Ten Bůh byl utvořen z jedné jediné ideje (jiná přání a myšlenky neměl): zakazoval mimomanželské milování. Byl to tedy dost legrační Bůh, ale nesmějme se proto Alici. Z deseti přikázání, která tlumočil lidstvu Mojžíš, plných devět bylo v její duši zcela neohrožených, protože Alici se nechtělo ani zabíjet, ani nectít otce, ani požádat manželky bližního svého; jedno jediné přikázání cítila jako *nesamozřejmé*, tedy jako skutečnou obtíž a úkol; to bylo slavné sedmé *nesesmilníš*. Chtěla-li svou náboženskou víru nějak uskutečnit, dokázat a prokázat, musila se upřít právě na toto jediné přikázání, čímž z nejasného, rozplizlého, abstraktního Boha učinila pro sebe Boha zcela určitého, pochopitelného a konkrétního: *Boha Nesoulože.*

Prosím vás, kde vlastně začíná smilnění? Každá žena si určí tu hranici podle zcela tajemných kritérií. Alice docela ráda dovolovala, aby ji Eduard líbal, a po mnoha a mnoha jeho pokusech se nakonec smířila i s tím, aby ji hladil po prsou, avšak vprostřed svého těla, tedy dejme tomu v rovině pupku, narýsovala přísnou a zcela nekompromisní čáru, pod níž se rozprostíralo území svatých zákazů, území Mojžíšova odepření a hněvu Hospodinova.

Eduard začal číst bibli a studovat základní teologickou literaturu; rozhodl se utkat s Alicí jejími vlastními zbraněmi.

„Aličko," řekl jí pak, „milujeme-li Boha, není pro nás nic zapovězeno. Toužíme-li po něčem, děje se to z jeho dopuštění. Kristus nechtěl nic jiného, než abychom se všichni řídili láskou."

„Ano," řekla Alice, „ale jinou, než na jakou myslíš ty."

„Láska je jenom jedna," řekl Eduard.

„To by se ti tak hodilo," řekla Alice, „jenomže Bůh stanovil určitá přikázání, a podle těch se musíme řídit."

„Ano, starozákonní Bůh," řekl Eduard, „nikoli však Bůh křesťanů."

„Jak to? Je přece jen jeden Bůh," namítla Alice.

„Ano," řekl Eduard, „jenomže trochu jinak ho chápali starozákonní Židé a trochu jinak my. Před příchodem Krista musel člověk především dodržovat určitý systém božích příkazů a zákonů. Jaký byl uvnitř, nebylo tak důležité. Kristus však považoval různé ty zákazy a nařízení za cosi vnčjšího. Pro něho bylo nejdůležitější, jaký je člověk uvnitř sebe. Když se člověk bude řídit svým horoucím, věřícím nitrem, vše, co udělá, bude dobré a bude se Bohu líbit. Proto přccc řckl svatý Pavel: čistému vše čisté."

„Jenom jestli ty jsi právě ten čistý," řekla Alice.

„A svatý Augustin," pokračoval Eduard, „řekl: Miluj Boha a čiň, co se ti zlíbí. Chápeš to, Alice? Miluj Boha a čiň, co se ti zlíbí!"

„Jenomže to, co se zlíbí tobě, se nikdy nezlíbí mně," odpověděla Alice a Eduard pochopil, že jeho teologický útok tentokrát zcela ztroskotal; proto řekl:

„Ty mne nemáš ráda."

„Mám," řekla Alice se strašlivou věcností. „A proto nechci, abychom dělali něco, co dělat nesmíme."

Jak jsme již řekli, byly to týdny trýzně. A trýzeň byla o to větší, že Eduardova touha po Alici zdaleka nebyla jenom touhou těla po těle; naopak, čím víc byl odmítán tělem, tím se stával stýskavější a bolavější a tím víc si žádal i jejího srdce; avšak ani její tělo ani srdce nechtěly o tom nic vědět, byly obě stejně chladné, stejně do sebe zavinuté a spokojeně soběstačné.

Nejvíc Eduarda na Alici dráždila právě ta nevyrušitelná uměřenost jejích projevů. Ačkoli to byl mladík jinak docela střízlivý, začal toužit po nějakém extrémním činu, aby jím Alici z její nevyrušitelnosti vyrušil. A protože bylo příliš riskantní provokovat ji extrémnostmi rouhačskými či cynickými (k nimž ho přitahovala jeho přirozenost), musil volit extrémnosti právě opačné (a tedy mnohem obtížnější), které by vyšly z Alicina vlastního postoje, ale stupňovaly ho tak, aby se jimi cítila zahanbena. Srozumitelně řečeno: Eduard začal přehánět svou náboženskost. Nevynechal žádnou návštěvu kostela (touha po Alici byla větší než strach z nepříjemností) a choval se tam s výstřední pokorou: klekal při každé příležitosti na zem, zatímco Alice se vedle něho modlila a křižovala vestoje, protože měla strach o punčochy.

Jednoho dne jí vytkl její náboženskou vlažnost. Připomněl jí slova Ježíšova: „Ne každý, kdo mi říká Pane, Pane, vejde do království nebeského." Vytkl jí, že její víra je formální, vnější, plytká. Vytkl jí její pohodlnost. Vytkl jí, že je příliš spokojena sama se sebou. Vytkl jí, že kromě sebe nikoho kolem sebe nevidí.

A když takto promlouval (Alice nebyla na jeho útok připravena a bránila se chabě), uviděl najednou proti sobě kříž; starý zanedbaný kovový kříž se zrezivělým plechovým Kristem, stojící na rohu ulice. Vysunul okázale ruku zpod Aliciny paže, zastavil se a (na protest proti jejímu lhostejnému srdci a na znamení své nové ofenzívy) se vzdorovitou nápadností se pokřižoval. Ani si nemohl dost dobře uvědomit, jak to na Alici zapůsobilo, protože v tu chvíli zahlédl na druhé straně ulice školnici. Dívala se na něho. Eduard pochopil, že je ztracen.

5

Jeho tušení se potvrdilo, když ho školnice o dva dny později zastavila na chodbě a hlučně mu oznámila, že se má dostavit příští den ve dvanáct hodin do ředitelny: „Potřebujem si s tebou promluvit, soudruhu."

Na Eduarda padla úzkost. Večer se sešel s Alicí, aby spolu jako vždy probloumali hodinu dvě po ulici, ale Eduard už ve svém náboženském horlitelství nepokračoval. Byl schlíplý a toužil Alici svěřit, co se mu přihodilo; neodvážil se však, protože věděl, že kvůli záchraně nemilovaného (leč nezbytného) zaměstnání je připraven zítra ráno Pána Boha bez váhání zradit. Neřekl proto raděj o neblahém předvolání ani slovo, takže se mu nedostalo ani nijaké útěchy. Vešel příštího dne do ředitelny v naprosté vnitřní opuštěnosti.

V místnosti na něho čekali čtyři soudci: ředitelka, školnice, jeden Eduardův kolega (maličký a brýlatý) a neznámý pán (šedovlasý), kterého ostatní nazývali soudruhem inspektorem. Ředitelka požádala Eduarda, aby se posadil, a řekla mu pak, že si ho pozvali na docela přátelský a neoficiální rozhovor, neboť prý je všechny znepokojuje způsob, jakým se Eduard projevuje ve svém mimoškolním životě. Podívala se při těch slovech na inspektora, a ten pokývl souhlasně hlavou; pak otočila zrak na brejlatého učitele, který se na ni celou dobu pozorně díval, a jakmile nyní zachytil její pohled, dal se hned v souvislou řeč; mluvil o tom, že chceme vychovávat mládež zdravou a bez předsudků a máme za ni plnou odpovědnost, protože jí sloužíme (my učitelé) za vzor; právě proto prý nemůžeme v našich zdech trpět pánbíčkáře; tuto myšlenku dlouho rozváděl a nakonec prohlásil Eduardovo počínání za ostudu celého ústavu.

Ještě před několika minutami byl Eduard přesvědčen, že svého nedávno pořízeného Boha zapře a přizná se, že návštěva kostela i veřejné křižování byla jen šaškárna. Teď však najednou tváří v tvář skutečné situaci cítil, že to nemůže udělat; nemůže přece těmto čtyřem lidem, tak vážným a plným zaujetí, říci, že jsou zaujati jen jakýmsi nedorozuměním, jakousi hloupostí; chápal, že by se tím jejich vážnosti mimoděk vysmíval; a také si uvědomoval, že všichni teď od něho očekávají právě jen vytáčky a výmluvy a jsou předem připraveni je odmítnout; pochopil (rázem, na dlouhé přemýšlení nebyl čas), že je v této chvíli nejdůležitější, aby zůstal podobný pravdě, přesněji řečeno, podobný představám, které si o něm učinili; má-li se mu podařit ty představy do jisté míry korigovat, musí jim také do jisté míry vyjít vstříc. Proto řekl:

„Soudruzi, smím být upřímný?"

„Ovšem," řekla ředitelka. „Proto jste přece tu."

„A nebudete se zlobit?"

„Jen mluvte," řekla ředitelka.

„Dobře, tak se vám přiznám," řekl Eduard. „Já opravdu věřím v Boha."

Pohlédl na své soudce a zdálo se mu, že všichni uspokojeně vydechli; jen školnice na něho vyjela: „V dnešní době, soudruhu? V dnešní době?"

Eduard pokračoval: „Já jsem věděl, že se budete zlobit, když vám řeknu pravdu. Ale já neumím lhát. Nechtějte na mně, abych vás obelhával."

Ředitelka řekla (mírně): „Nikdo nechce, abyste lhal. Je dobře, že mluvíte pravdu. Jenom mi, prosím vás, řekněte, jak můžete věřit v Boha vy, mladý člověk!"

„Dnes, kdy létáme na Měsíc!" rozčiloval se učitel.

„Nemůžu za to," řekl Eduard. „Já v něho věřit nechci. Opravdu. Nechci."

„Jak to, nechcete, když věříte?" vmísil se do rozhovoru (mimořádně laskavým tónem) šedovlasý pán.

„Nechci věřit, a věřím," opakoval Eduard tiše své přiznání.

Učitel se zasmál: „Ale v tom je rozpor!"

„Soudruzi, je to tak, jak říkám," pravil Eduard. „Já vím moc dobře, že víra v Boha nás odvádí od skutečnosti. Kam by přišel socialismus, kdyby všichni věřili, že je svět v rukou Božích? To by nikdo nic nedělal a každý jen spoléhal na Boha."

„No právě," souhlasila ředitelka.

„Ještě nikdy nikdo nedokázal, že Bůh je," prohlásil brýlatý učitel.

Eduard pokračoval: „Historie lidstva se liší od jeho prehistorie tím, že lidé vzali svůj osud sami do rukou a Boha nepotřebují."

„Víra v Boha vede k fatalismu," řekla ředitelka.

„Víra v Boha náleží středověku," řekl Eduard a pak zase něco řekla ředitelka a něco řekl učitel a něco řekl Eduard a něco inspektor a všichni se v harmonické shodě doplňovali, až potom konečně brýlatý učitel vybuchl a přerušil Eduarda:

„Tak proč se křižuješ na ulici, když tohle všechno víš?"

Eduard se na něho podíval nesmírně smutným pohledem a pak řekl: „Protože věřím v Boha."

„Ale v tom je rozpor!" opakoval učitel radostně.

„Ano," přiznal Eduard, „je. Je to rozpor mezi věděním a vírou. Vědění je jedna věc a víra druhá. Já uznávám, že víra v Boha nás vede k tmářství. Já uznávám, že by bylo lepší, aby nebyl. Ale když já tady uvnitř..." ukázal si prstem na srdce, „cítím, že je. Prosím vás, soudruzi, říkám vám to tak, jak to je, je to lepší, když se vám přiznám, protože já nechci být pokrytec, já chci, abyste věděli, jaký opravdu jsem," a sklopil hlavu.

Učitel neměl rozum o nic delší než tělo; nevěděl, že i nejpřísnější revolucionář považuje násilí jen za nutné zlo, kdežto vlastním *dobrem* revoluce je pro něho převýchova. On sám, který se obrátil na revoluční přesvědčení přes noc, nepožíval přílišné úcty ředitelčiny a netušil, že v této chvíli Eduard, který se dal svým soudcům k dispozici jako náročný, a přece tvárný objekt převýchovy, má tisíckrát větší cenu než on. A protože to netušil, obořil se teď surově na Eduarda a prohlásil, že takoví lidé, kteří se neumějí rozloučit se středověkou vírou, patří do středověku a z dnešní školy musejí odejít.

Ředitelka ho nechala domluvit a potom vynesla své napomenutí: „Nemám ráda, když se stínají hlavy. Soudruh byl upřímný a řekl nám všechno tak, jak to je. Musíme si toho umět vážit." Pak se obrátila na Eduarda: „Soudruzi mají ovšem pravdu, když říkají, že pánbíčkáři nemohou vychovávat naši mládež. Tak řekněte sám, co navrhujete?"

„Já nevím, soudruzi," řekl Eduard nešťastně.

„Já myslím tak," řekl inspektor. „Boj mezi starým a novým probíhá nejen mezi třídami, ale i v každém jednotlivém člověku. Takový boj probíhá i uvnitř soudruha. On rozumem ví, ale cit ho táhne zpátky. Musíte v tom boji soudruhovi pomoct, aby jeho rozum zvítězil."

Ředitelka kývala hlavou. Pak řekla: „Vezmu si ho sama na starost."

6

Nejbezprostřednější nebezpečí tedy Eduard odvrátil; osud jeho učitelské existence se ocitl ve výhradních rukou ředitelčiných, což zkonstatoval celkem s uspokojením: vzpomněl si totiž na bratrovu někdejší poznámku, že ředitelka byla vždycky na mladé kluky, a se vší nevyrovnaností své mladické sebedůvěry (hned zakřiknuté, hned přehnané) se rozhodl vyhrát svůj zápas tím, že se své vládkyni vemluví v přízeň jako muž.

Když ji podle úmluvy navštívil jednoho z příštích dnů v její ředitelně, pokusil se nasadit lehký tón a využíval každé příležitosti, aby do rozhovoru vsunul důvěrnější poznámku, jemné zalichocení či aby s diskrétní dvojsmyslností zdůraznil svou zvláštní situaci muže v rukou ženy. Leč nebylo mu dopřáno, aby určoval sám tón rozhovoru. Ředitelka s ním mluvila vlídně, ale naprosto zdrženlivě; vyptávala se ho, co čte, jmenovala pak sama několik knih a doporučila mu je ke čtení, protože chtěla zřejmě zahájit dlouhodobou práci na jeho mysli. Jejich krátké setkání skončilo tím, že ho pozvala k sobě na návštěvu.

Dík ředitelčině zdrženlivosti Eduardova sebedůvěra opět splaskla, takže vstoupil do její garsoniéry pokorně a bez úmyslu přemáhat ji mužským půvabem. Posadila ho do křesla a nasadila velmi přátelský tón; ptala se ho, na co má chuť: na kávu? Řekl, že ne. Tedy na alkohol? Upadl téměř do rozpaků: „Jestli máte koňak..." a hned se lekl, jestli neřekl nějakou troufalost. Ale ředitelka řekla vlídně: „Ne, koňak ne, mám jen trochu vína," a donesla poloprázdnou láhev, jejíž obsah stačil naplnit právě jen dvě sklenky.

Pak řekla, že se na ni Eduard nesmí dívat jako na nějakou inkvizitorku; každý má přece plné právo vyznávat ve svém životě to, co uzná za správné. Samozřejmě, jiná věc je (dodala hned), zda se pak hodí či nehodí za učitele; proto prý musili (ač neradi) Eduarda předvolat a promluvit si s ním a byli velmi (alespoň ona a inspektor) spokojeni tím, jak s nimi mluvil otevřeně a nic nezapíral. Mluvila pak prý s inspektorem o Eduardovi ještě velmi dlouho a rozhodli se, že si ho za půl roku znovu zavolají k rozhovoru; do té doby mu ředitelka má pomoci svým vlivem v jeho vývoji. A znovu zdůraznila, že mu chce pouze *přátelsky pomoci*, že není žádný inkvizitor ani policajt. Vzpomněla pak učitele, který se na Eduarda tak zostra obořoval, a řekla: „Ten má sám máslo na hlavě, a tak by byl ochoten ty druhé upalovat. Taky školnice o vás všude rozhlašuje, že prý jste byl drzý a paličatě jste trval na svém. Nedá si vymluvit, že byste měl vyletět ze školy. Já s ní ovšem nesouhlasím, ale tak úplně se jí zas divit nemůžete. Já bych taky nebyla ráda, kdyby mé děti učil někdo, kdo se veřejně křižuje na ulici."

Takto předvedla ředitelka Eduardovi v jediném proudu vět jak lákavé možnosti svého milosrdenství, tak i hrozivé možnosti své přísnosti, a pak, aby prokázala, že jejich setkání je vskutku přátelské, odbočila na jiná témata: mluvila o knihách, zavedla Eduarda ke knihovně, rozplývala se nad Rollandovou Okouzlenou duší a zlobila se na něho, že ji nečetl. Poté se ho zeptala, jak se mu vlastně vede na škole, a po jeho konvenční odpovědi se sama dlouze rozpovídala: řekla, že je vděčná osudu za své zaměstnání, že má práci ve škole ráda, protože tím, že vychovává děti, je vlastně v ustavičném a konkrétním dotyku s budoucností; a že jenom budoucnost může nakonec ospravedlnit všechno to utrpení, kterého prý („ano, musíme si to přiznat") je kolem plno. „Kdybych nevěřila, že žiju pro něco víc než jen pro svůj vlastní život, nemohla bych snad vůbec žít."

Ta slova zněla náhle velmi opravdově a nebylo jasné, zda se jimi ředitelka chce zpovídat anebo zahájit očekávanou ideologickou polemiku o smyslu života; Eduard se rozhodl pochopit je raději v jejich intimnosti a zeptal se proto tichým, diskrétním hlasem:

„A váš život sám o sobě?“

„Můj život?“ opakovala po něm.

„Ten by vás sám o sobě neuspokojil?“

Objevil se jí na tváři trpký úsměv a Eduardovi jí přišlo v té chvíli skoro líto. Byla jímavě ohavná: černé vlasy jí stínily podlouhlou kostnatou tvář a černé chlupy pod nosem nabývaly výraznosti kníru. Představil si rázem veškerý smutek jejího života; vnímal její cikánské rysy, prozrazující náruživost, a vnímal její škaredost, prozrazující nesplnitelnost té náruživosti; představil si, jak se vášnivě proměňovala v živou sochu žalu nad Stalinovou smrtí, jak vášnivě vysedávala na statisících schůzí, jak vášnivě bojovala proti nebohému Ježíškovi, a chápal, že to všechno byla jen smutná náhradní koryta její touhy, která nesměla téci tam, kam chtěla. Eduard byl mlád a jeho soucit byl neopotřebován. Díval se na ředitelku s pochopením. Ona však, jako by se zastyděla za chvíli svého bezděčného odmlčení, obdařila teď svůj hlas svižnou intonací a pokračovala:

„Na tom, Eduarde, vůbec nezáleží. Člověk přece není na světě jen kvůli sobě. Žije vždycky pro něco.“ Podívala se mu hlouběji do očí: „Jde však o to, pro co. Pro něco skutečného nebo pro něco smyšleného? Bůh — to je krásná smyšlenka. Ale budoucnost lidí, Eduarde, to je skutečnost. A pro tu jsem žila, pro tu jsem všechno obětovala.“

I tyto věty říkala s takovým vnitřním zaujetím, že k ní Eduard nepřestával cítit ono náhlé lidské pochopení, které se v něm před chvílí probudilo; přišlo mu hloupé, že tu lže jinému člověku (bližní bližnímu) do očí, a zdálo se mu, že zdůvěrnělá chvíle jejich rozhovoru mu nabízí příležitost odhodit konečně nedůstojnou (a ostatně také obtížnou) hru na věřícího:

„Ale vždyť já s vámi docela souhlasím,“ rychle ji ujišťoval, „já dám taky skutečnosti přednost. S tím mým náboženstvím to neberte tak vážně.“

Vzápětí poznal, že se člověk nemá dát nikdy svést zbrklým hnutím citu. Ředitelka se na něho udiveně podívala a pak řekla se znatelným chladem: „Nepřetvařujte se. Líbil jste se mi, že jste byl upřímný. Teď ze sebe děláte něco, co nejste.“

Ne, Eduardovi nebylo dovoleno vysvléci se z náboženského kostýmu, do něhož se jednou oblékl; rychle se s tím smířil a snažil se napravit špatný dojem: „Ale ne, já jsem se nechtěl vytáčet. Já samozřejmě věřím v Boha, to bych nikdy nezapíral. Já jsem jenom chtěl říct, že stejně tak věřím i v budoucnost lidstva, v pokrok a v to všechno. Vždyť kdybych v to nevěřil, nač by byla celá moje práce učitele, nač by se rodily děti a nač bychom vůbec žili? A já jsem si právě myslil, že je to i vůle Boží, aby společnost šla dál a dál pořád k lepšímu. Já jsem si myslil, že člověk může věřit v Boha i v komunismus, že se to dá spojit.“

„Ne,“ usmála se ředitelka s mateřskou autoritativností, „ty dvě věci se spojovat nedají.“

„Já vím,“ řekl Eduard smutně. „Nezlobte se na mě.“

„Nezlobím. Jste ještě mladý člověk a stojíte paličatě za tím, v co věříte. Nikdo vám nerozumí tak jako já. Vždyť já jsem byla taky tak mladá jako vy. Já vím, co je to mládí. A vaše mládí se mi na vás líbí. Jste mi sympatický.“

A teď to konečně přišlo. Ne dřív a ne později, nýbrž právě nyní, přesně v pravou chvíli (kterou, jak vidíme, si Eduard nezvolil, spíš ona si zvolila jeho ke svému naplnění). Když ředitelka řekla, že je jí sympatický, odpověděl nepříliš výrazně:

„Vy mi taky.“

„Opravdu?“

„Opravdu.“

„Prosím vás. Já, stará ženská...“ namítala ředitelka.

„To není pravda,“ musil říci Eduard.

„Ale je,“ řekla ředitelka.

„Vůbec nejste stará, to je nesmysl,“ musil říci velmi rezolutně.

„Myslíte?“

„Náhodou se mi moc líbíte.“

„Nelžete. Víte, že nesmíte lhát.“

„Nelžu. Jste hezká.“

„Hezká?“ tvářila se ředitelka, že nevěří.

„Ano, hezká,“ řekl Eduard, a protože se lekal okaté nevěrohodnosti svého tvrzení, snažil se je hned podepřít: „Taková černovlasá. To se mi hrozně líbí.“

„Vám se líbí černovlásky?“ zeptala se ředitelka.

„Hrozně,“ řekl Eduard.

„A proč jste se u mne neukázal celou tu dobu, co jste na škole? Měla jsem pocit, že se mi vyhýbáte.“

„Styděl jsem se,“ řekl Eduard. „Všichni by řekli, že vám podlízám. Nikdo by nevěřil, že za vámi chodím jen proto, že se mi líbíte.“

„Ale teď se stydět nemusíte,“ řekla ředitelka. „Teď je přece *usneseno*, že se se mnou musíte občas scházet.“

Dívala se mu do očí svými velkými hnědými duhovkami (přiznejme, že samy o sobě byly krásné) a při odchodu ho lehce pohladila po ruce, takže ten pošetilec odcházel s bujarým pocitem vítěze.

7

Eduard si byl jist, že nepříjemná aféra je rozhodnuta v jeho prospěch, a šel příští neděli s Alicí do kostela s drzou bezstarostností; a nejen to, šel tam opět i s plnou sebedůvěrou, neboť (jakkoli to v nás vzbuzuje soucitný úsměv) průběh návštěvy u ředitelky vnímal ve vzpomínkách jako zářící doklad své mužské přitažlivosti.

Ostatně právě tu neděli v kostele si všiml, že Alice je jakási jiná: hned jak se sešli, vsunula mu ruku pod paži a i v kostele se ho tak držela; kdežto jindy se chovala skromně a nenápadně, tentokrát se rozhlížela kolem dokola a pozdravila s úsměvnou úklonou aspoň deset známých.

To bylo zvláštní a Eduard tomu nerozuměl.

Když se pak o dva dny později spolu procházeli ztemnělými ulicemi, Eduard užasle konstatoval, že její polibky, kdysi tak nepříjemně věcné, zvlhly, zteplaly a zhoroucněly. Když se s ní na chvíli zastavil pod lucernou, zjistil, že se na něho dívají dvě zamilované oči.

„Abys věděl, já tě mám ráda," řekla mu Alice zničehonic a hned mu zakryla ústa: „Ne, ne, nic neříkej, já se stydím, já nechci nic slyšet."

A zase kousek popošli a zase se zastavili a Alice řekla: „Já už teď všechno chápu. Já už chápu, proč jsi mi vyčítal, že jsem ve své víře moc pohodlná."

Eduard však nechápal nic, a proto také nic neříkal; když zase kousek popošli, Alice řekla: „A ty jsi mi nic neřekl. Proč jsi mi nic neřekl?"

„A co jsem ti měl říkat?" ptal se Eduard.

„Ano, to jsi ty," řekla v tichém nadšení. „Jiní by se vytahovali, a ty mlčíš. Ale právě proto tě mám ráda."

Eduard začal tušit, o čem je řeč, ale přesto se otázal: „O čem to mluvíš?"

„O tom, co se ti stalo."

„A od koho to víš?"

„Prosím tě! Všichni to vědí. Předvolali si tě, vyhrožovali ti, a ty ses jim vysmál do očí. Nic jsi neodvolal. Všichni tě obdivují."

„Ale já jsem o tom přece nikomu neříkal."

„Nebuď naivní. Taková věc se rozkřikne. Vždyť to není maličkost. Copak dnes najdeš někoho, kdo by měl trochu odvahy?"

Eduard věděl, že v malém městě se každá událost rychle přeměňuje v legendu, ale přece jen netušil, že i jeho bezcenné příběhy, jejichž význam nikdy nepřeceňoval, mají v sobě takovou legendotvornou sílu; neuvědomoval si dostatečně, jak velice vhod přišel svým krajanům, kteří si, jak známo, nelibují v *dramatických* hrdinech (bojujících a vítězících), nýbrž právě v *mučednících,* neboť ti je chlácholivě utvrzují v jejich loajální nečinnosti, ubezpečujíce je, že život poskytuje jen dvojí alternativu: být utracen, anebo být poslušný. Nikdo nepochyboval, že Eduard bude utracen, a všichni to s obdivem a uspokojením tradovali dál, až se nyní Eduard Aliciným prostřednictvím setkal sám s překrásným obrazem vlastního ukřižování. Přijal to chladnokrevně a řekl:

„Ale to, že jsem nic neodvolal, to byla přece samozřejmost. Tak by přece jednal každý."

„Každý?" vyhrkla Alice. „Podívej se kolem sebe, jak všichni jednají! Jací jsou zbabělí! Zapřeli by vlastní matku!"

Eduard mlčel a Alice mlčela. Šli a drželi se za ruce. Alice potom šeptem řekla: „Udělala bych pro tebe všechno."

Takovou větu Eduardovi ještě nikdo neřekl; taková věta, to byl nečekaný dar. Eduard ovšem věděl, že je to dar nezasloužený, ale řekl si, že když mu osud odpírá zasloužené dary, má plné právo ponechat si ty nezasloužené, a proto řekl:

„Pro mne už nikdo nic udělat nemůže."

„Jak to?" šeptla Alice.

„Vyženou mne ze školy a ti, co dnes o mně mluví jako o hrdinovi, pro mne prstem nehnou. Mám jedinou jistotu. Že zůstanu úplně sám."

„Nezůstaneš," vrtěla Alice hlavou.

„Zůstanu," řekl Eduard.

„Nezůstaneš!" skoro křičela Alice.

„Všichni se mne zřekli."

„Já se tě nikdy nezřeknu," řekla Alice.

„Zřekneš," řekl Eduard smutně.

„Nezřeknu," řekla Alice.

„Ne, Alice," řekl Eduard, „ty mne nemáš ráda. Tys mne nikdy neměla ráda."

„To není pravda," šeptala Alice a Eduard si s uspokojením všiml, že má mokré oči.

„Nemáš, Alice, to se vycítí. Tys byla ke mně vždycky docela chladná. Tak se nechová žena, která miluje. To já moc dobře vím. A teď ke mně cítíš soucit, protože víš, že mne chtějí zničit. Ale ráda mne nemáš a já nechci, aby sis to namlouvala."

Šli pořád dál, mlčeli a drželi se za ruce. Alice tiše poplakávala a pak se najednou zastavila a ve vzlycích pravila: „Ne, to není pravda, tomu nesmíš věřit, to není pravda."

„Je," řekl Eduard, a když Alice nepřestávala plakat, navrhl jí, aby v sobotu odjeli na venkov. V krásném údolí u řeky je bratrova chata, ve které budou moci být sami.

Alice měla tvář mokrou od slz a němě přikývla.

8

To bylo v úterý, a když byl ve čtvrtek Eduard opět pozván do ředitelčiny garsoniéry, kráčel tam s veselou sebejistotou, neboť vůbec nepochyboval o tom, že kouzlo jeho bytosti definitivně rozptýlí kostelní aféru v pouhý obláček dýmu, v pouhé nic. Ale tak už to v životě bývá: člověk se domnívá, že hraje svou roli v určité hře, a netuší, že na scéně zatím nepozorovaně vyměnili dekorace, a on se nic netuše ocitá uprostřed poněkud jiného představení.

Seděl opět v křesle naproti ředitelce; mezi nimi byl stolek a na něm láhev koňaku obstoupená dvěma číškami. A právě ta láhev koňaku byla onou novou dekorací, podle níž by bystrý muž střízlivého ducha okamžitě rozpoznal, že kostelní aféra už naprosto není tím, oč jde.

Ale nevinný Eduard byl do té míry sám sebou opojen, že si to zpočátku vůbec neuvědomoval. Účastnil se docela vesele úvodní konverzace (obsahově neurčité a všeobecné), vypil nabídnutou čišku a docela bezelstně se nudil. Po půlhodině či po hodině přešla ředitelka nenápadně k osobnějším tématům; rozhovořila se o sobě a z jejích slov měla vyvstat před Eduardem ta, jíž se chtěla zdát: rozumná žena středních let, nepříliš šťastná, a přece důstojně vyrovnaná se svým údělem, žena, která ničeho nelituje, a dokonce si chválí, že není vdaná, protože jen takto přece může plně vychutnat zralou chuť své samostatnosti i radost ze soukromí, jež jí poskytuje krásný byt, kde se cítí dobře a kde snad i Eduardovi teď není nepříjemně.

„Ne, je mi tu moc fajn," řekl Eduard, a řekl to stísněně, protože právě v té chvíli mu přestalo být fajn. Láhev koňaku (o kterou neprozřetelně požádal při poslední návštěvě a která nyní s tak hrozivou ochotou přispěchala na stůl), čtyři stěny garsoniéry (vytvářející prostor jakoby čím dál těsnější, jakoby čím dál uzavřenější), ředitelčin monolog (soustřeďující se k tématům čím dál osobnějším), její pohled (nebezpečně upřený), to všechno způsobilo, že mu *změna představení* začala konečně docházet; pochopil, že vstoupil do situace, jejíž vývoj je neodvolatelně předurčen; uvědomil si, že jeho existence na škole není ohrožena nechutí ředitelky vůči němu, nýbrž právě naopak: jeho fyzickou nechutí k hubené ženě, která má chmýří pod nosem a pobízí ho, aby pil. Stáhlo se mu úzkostí hrdlo.

Poslechl ředitelku a napil se, ale jeho úzkost teď byla tak silná, že na něho alkohol vůbec nepůsobil. Zato ředitelka byla již po pár číškách dokonale povznesena nad obvyklou střízlivost a její slova nabývala exaltovanosti téměř výhružné. „Jedno vám závidím," říkala. „Že jste tak mladý. Vy ještě nemůžete vědět, co je to zklamání, co je to deziluze. Vy vidíte ještě svět plný naděje a krásy."

Nahnula se přes stolek k Eduardovi a v teskném odmlčení (s úsměvem strnule křečovitým) na něho upírala strašlivě veliké oči, zatímco on si říkal, že jestli se mu nepodaří trochu se připopít, skončí pro něho tento večer velikou ostudou; nalil si proto do kalíšku koňak a rychle ho vypil.

A ředitelka pokračovala: „Ale já ho chci tak vidět! Tak jako vy!" A potom se vztyčila z křesla, vypjala hruď a řekla: „Že nejsem otravná ženská! Že ne!" A obešla stolek a chytila Eduarda za ruku: „Že ne!"

„Ne," řekl Eduard.

„Pojďte, budeme tančit," řekla, pustila Eduardovu ruku a poskočila ke knoflíku rádia, jímž točila tak dlouho, až našla jakousi taneční hudbu. Pak stanula s úsměvem nad Eduardem.

Eduard vstal, uchopil ředitelku a začal ji vodit po pokoji do rytmu hudby. Ředitelka mu chvílemi něžně kladla hlavu na rameno, pak ji zase prudce pozvedla, aby se mu zadívala do očí, po chvíli zase polohlasně notovala hranou melodii.

Eduard se cítil tak nesvůj, že několikrát přerušil tanec, aby se napil. Po ničem netoužil víc než ukončit trapnost nekonečně se vlekoucího kráčení, ale ničeho víc se také nebál, neboť trapnost toho, co by následovalo po tanci, mu připadala ještě nesnesitelnější. A tak vodil dále prozpěvující paní těsným pokojem a přitom nepřetržitě (a úzkostlivě) sledoval na sobě toužebné působení alkoholu. Když se mu konečně zazdálo, že má mysl alkoholem poněkud zatemněnu, přitiskl si ředitelku pravou rukou těsně k tělu a levou dlaň jí položil na prso.

Ano, učinil tedy přesně to, co mu celý večer nahánělo hrůzu; byl by dal nevím co za to, aby to nemusil učinit, a učinil-li to přece, tedy, věřte, jenom proto, že to učinit opravdu *musil*: situace, do níž vstoupil hned od počátku večera, byla totiž tak autoritativní, že bylo sice možno její běh zpomalovat, ale nebylo ho možno nijak zastavit, takže přiložil-li Eduard dlaň na ředitelčino prso, podrobil se pouze příkazu zcela neodvratné nutnosti.

Následky jeho činu však přesáhly veškeré očekávání. Jako na čarovný povel začala se mu ředitelka svíjet v rukou a vzápětí přiložila svůj chlupatý horní ret na jeho ústa. Potom ho strhla na gauč a divoce se svíjejíc a hlasitě vzdychajíc kousla ho do rtu a nakonec i do špičky jazyka, což Eduarda velmi zabolelo. Pak se mu vyvinula z rukou, řekla „Počkej!“ a odběhla do koupelny.

Eduard si olízl prst a zjistil, že mu jazyk mírně krvácí. Kousnutí ho tak bolelo, že usilovně získaná opilost ustoupila a hrdlo se mu znovu stáhlo úzkostí, pomyslil-li na to, co ho čeká. Z koupelny bylo slyšet mohutné cvrčení a šplouchání vody. Vzal do ruky láhev koňaku, přiložil k ústům a zhluboka se napil.

Ale to už se v průhledné nylonové noční košili (na prsou hustě zdobené krajkami) objevila ve dveřích ředitelka a zvolna kráčela k Eduardovi. Objala ho. Pak poodstoupila a řekla s výčitkou: „Proč jsi oblečený?“

Eduard si svlékl sako, a dívaje se na ředitelku (upírala na něho veliké oči), neuměl myslit na nic jiného než na to, že jeho tělo bude s největší pravděpodobností sabotovat jeho snaživou vůli. Chtěje tedy své tělo nějak povzbudit, řekl nejistým hlasem: „Svlékněte se úplně."

Prudkým pohybem, nadšeně poslušným, shodila ze sebe košili a obnažila tenkou, bílou postavu, v jejímž středu hustá čerň čněla v teskné osiřelosti. Zvolna se k němu přibližovala a Eduard se s hrůzou přesvědčoval o tom, co už stejně věděl: jeho tělo bylo docela spoutáno úzkostí.

Já vím, pánové, že jste si během let zvykli na občasnou neposlušnost vlastního těla, a vůbec vás to už nevyvede z míry. Ale pochopte, Eduard byl tehdy mlád! Sabotáž jeho těla ho uvedla pokaždé do neuvěřitelné paniky a nesl ji jako neodčinitelnou hanbu, ať už by byla jejím svědkem krásná tvář či tvář tak ohavná a komická, jako byla tvář ředitelčina. A ředitelka byla už krok od něho a on, vystrašen a nevěda, co si počít, řekl najednou, ani nevěděl jak (byl to spíš plod vnuknutí než lstivé úvahy): „Ne, ne, proboha ne! Ne, to je hřích, to by byl hřích!" a uskočil.

Ředitelka se k němu dále přibližovala a mumlala temným hlasem: „Jaký hřích! Žádný hřích není!"

Eduard ustupoval za kulatý stolek, u něhož před chvílí seděli: „Ne, toto já nesmím, to nesmím!"

Ředitelka odstrčila křeslo, které jí stálo v cestě, a šla dál za Eduardem, nespouštějíc z něho veliké černé oči: „Žádný hřích není! Žádný hřích není!"

Eduard obešel stolek, a za ním byl už jen gauč; ředitelka byla pouhý krok od něho. Teď už neměl vůbec kam uniknout a snad samo zoufalství mu v této bezvýchodné vteřině náhle poradilo, aby jí poručil: „Klekni!"

Zadívala se na něho nechápavě, ale když znovu opakoval pevným (byť zoufalým) hlasem: „Klekni!", padla před ním nadšeně na kolena a objala mu nohy.

„Dej pryč ty ruce," okřikl ji. „Sepni je!"

Znovu se na něho nechápavě podívala.

„Sepni je! Slyšelas?“

Sepjala ruce.

„Modli se,“ poručil.

Měla sepjaté ruce a vzhlížela k němu oddaně.

„Modli se, ať nám Bůh odpustí,“ zasyčel.

Měla sepjaté ruce, dívala se na něho velkýma očima a Eduard nejenže získal výhodný odklad, ale pohlížeje na ni z výše, začal ztrácet tísnivý pocit, že je pouhou kořistí, a nabýval sebejistoty. Odstoupil od ní, aby ji celou přehlédl, a znovu jí poručil: „Modli se!“

Když pořád mlčela, křikl: „A nahlas!“

A opravdu: klečící, hubená, nahá paní začala odříkávat: „Otče náš, jenž jsi na nebesích, posvěť se jméno tvé, přijď království tvé...“

Pronášejíc slova modlitby, vzhlížela k němu vzhůru, jako by on sám byl Bůh. Pozoroval ji s rostoucím požitkem: byla před ním klečící ředitelka, tupená podřízeným; byla před ním nahá revolucionářka, tupená modlitbou; byla před ním modlící se paní, tupená nahotou.

Tento trojnásobný obraz potupy ho opojil a stalo se náhle cosi neočekávaného: jeho tělo odvolalo svou pasívní rezistenci; Eduard byl vzrušen!

Ve chvíli, kdy ředitelka říkala „a neuveď nás v pokušení“, shodil ze sebe rychle všechny šaty. Když řekla „Amen“, zvedl ji prudce ze země a vlekl na gauč.

9

To bylo tedy ve čtvrtek, a v sobotu odjel Eduard s Alicí na venkov za svým bratrem. Bratr je přivítal láskyplně a půjčil jim klíč od nedaleké chaty.

Oba milenci odešli a celé odpoledne se toulali po lesích a lukách. Líbali se a Eduard spokojenýma rukama zjišťoval, že myšlená čára, vedená v rovině pupku a rozdělující sféru nevinnosti od sféry smilnění, přestala platit. Chtěl v první chvíli stvrdit slovy tuto tak dlouho očekávanou událost, ale pak pochopil, že je lépe mlčet.

Usuzoval, zdá se, docela správně: Alicin nenadálý obrat udál se přece nezávisle na jeho mnohatýdenním přemlouvání, nezávisle na jeho argumentaci, nezávisle na jakékoli *logické* úvaze; zakládal se naopak výhradně na zprávě o Eduardově mučednictví, tedy na *omylu*, a i z toho omylu byl vyvozen zcela *nelogicky*; neboť uvažme: proč by Eduardova mučednická věrnost víře měla mít za následek, že Alice sama teď bude Božímu zákonu nevěrná? Když Eduard nezradil Boha před vyšetřovací komisí, proč by ho ona teď měla zradit před Eduardem?

V takové situaci mohla každá nahlas vyslovená úvaha odhalit Alici mimoděk alogičnost jejího postoje. A tak Eduard rozumně mlčel, což ostatně nebylo nijak nápadné, protože Alice mluvila sama dost, byla veselá a nic nenasvědčovalo tomu, že by obrat, který se udál v její duši, byl dramatický nebo bolestný.

Když se setmělo, odešli do chaty, rozsvítili, pak rozestlali, políbili se, načež Alice požádala Eduarda, aby zhasl. Oknem však nadále pronikal svit hvězd, takže Eduard musil na Alicinu prosbu zavřít i okenice. V úplné tmě se pak Alice svlékla a oddala se mu.

Tolik týdnů se těšil Eduard na tyto chvíle, a kupodivu teď, když k nim došlo, naprosto neměl pocit, že by byly tak významné, jak tomu nasvědčovala délka doby, co na ně čekal; zdály se mu natolik snadné a samozřejmé, že byl během milostného konání téměř nesoustředěný a marně odháněl myšlenky, které mu běžely hlavou: vybavovaly se mu ty dlouhé, marné týdny, kdy ho Alice trýznila svým chladem, vybavovaly se mu všechny ty útrapy ve škole, které mu způsobila, takže místo vděčnosti za její oddání začal v sobě cítit jakousi mstivost a hněv. Popuzovalo ho, jak lehce a bez trápení zrazuje teď svého Boha Nesoulože, kterého kdysi tak fanaticky vyznávala; popuzovalo ho, že ji nic není s to vykolejit z její vyrovnanosti, žádná touha, žádná událost, žádný zvrat; popuzovalo ho, jak si všechno prožívá bez vnitřních svárů, sebedůvěřivě a snadno. A když ho to popuzení silně ovládlo, snažil se ji milovat divoce a vztekle, aby z ní dostal nějaký hlas, sten, slovo, zaúpění, ale nepodařilo se mu to. Holčička byla tichá a přes všechnu jeho snahu jejich milování také docela tiše a nedramaticky skončilo.

Stulila se mu pak na prsa a rychle usnula, zatímco Eduard dlouho bděl a uvědomoval si, že necítí vůbec žádnou radost. Snažil se představovat si Alici (nikoli její fyzický zjev, ale možno-li její celou bytost v úplnosti) a napadlo ho najednou, že ji vidí *rozmazanou.*

Zastavme se u toho slova: Alice, jak ji Eduard až dosud viděl, byla při veškeré své naivitě bytost pevná a jasná: krásná prostota jejího vzezření zdála se odpovídat prostě jednoduchosti její víry, a její prostý osud zdál se být zdůvodněním jejího postoje. Eduard ji až dosud viděl jednolitou a soudržnou; mohl se jí smát, mohl ji proklínat, mohl ji obkličovat lstí, ale musil ji (bezděky) respektovat.

Teď však nezamýšlená léčka falešné zprávy rozvrátila soudržnost její bytosti a Eduardovi se zdálo, že její názor byl vlastně jen něco *přilepeného* k jejímu osudu, a její osud jen něco přilepeného k jejímu tělu, uviděl ji jako nahodilé spojení těla, myšlenek a životního běhu, spojení neorganické, svévolné a labilní. Představoval si Alici (zhluboka dýchala na jeho rameni) a viděl její tělo zvlášť a její myšlenky zvlášť, to tělo se mu líbilo, ty myšlenky mu připadaly směšné, a dohromady to netvořilo žádnou bytost; viděl ji jako čáru rozpitou v pijavém papíře: bez kontur, bez tvaru.

To tělo se mu opravdu líbilo. Když Alice ráno vstala, donutil ji, aby zůstala nahá, a ona, ačkoli ještě včera trvala urputně na zavřených okenicích, neboť jí vadil i šerý svit hvězd, teď na svůj stud docela zapomněla. Eduard si ji prohlížel (vesele poskakovala, hledajíc balíček čaje a sušenky na snídani) a Alice, když se na něho po chvíli podívala, zpozorovala, že je zamyšlený. Zeptala se ho, co mu je. Eduard jí odpověděl, že si musí po snídani zajít za bratrem.

Bratr se Eduarda vyptával, jak se mu daří na škole. Eduard řekl, že celkem dobře, a bratr řekl: „Ta Čecháčková je svině, ale já jsem jí už dávno odpustil. Odpustil jsem jí, neboť nevěděla, co činí. Chtěla mi ublížit, a zatím mi pomohla ke krásnému životu. Jako zemědělec si vydělám víc a styk s přírodou mne uchraňuje skepse, které podléhají obyvatelé měst."

„I mně přinesla ta bába vlastně jakési štěstí," řekl zamyšleně Eduard a vyprávěl bratrovi, jak se zamiloval do Alice, jak předstíral víru v Boha, jak ho soudili, jak ho Čecháčková chtěla převychovat a Alice se mu nakonec oddala coby mučedníkovi. Jen to, jak donutil ředitelku modlit se otčenáš, už nedopověděl, protože spatřil v bratrových očích nesouhlas. Zmlkl a bratr řekl:

„Mám možná lecjakou chybu, ale jednu ne. Nikdy jsem se nepřetvařoval a každému jsem říkal do očí, co si myslím."

Eduard měl bratra rád a jeho nesouhlas ho zranil; snažil se ospravedlnit a začali se hádat. Nakonec Eduard řekl:

„Já vím, bratře, že jsi přímý člověk a že si na tom zakládáš. Ale polož si jednu otázku: *Proč* vlastně mluvit pravdu? Co nás k ní zavazuje? A proč vůbec pravdomluvnost pokládáme za ctnost? Představ si, že se potkáš s bláznem, který bude tvrdit, že je ryba a my všichni jsme ryby. Budeš se s ním hádat? Budeš se před ním svlékat a ukazovat mu, že nemáš ploutve? Budeš mu říkat do očí, co si myslíš? No řekni!"

Bratr mlčel a Eduard pokračoval: „Kdybys mu říkal jen a jen čirou pravdu, jen to, co si o něm opravdu myslíš, přistoupil bys na vážný rozhovor s bláznem a sám by ses stal bláznem. A tak je to i se světem, který nás obklopuje. Kdybych mu tvrdošíjně říkal pravdu do očí, znamenalo by to, že ho beru vážně. A brát vážně něco tak nevážného, to znamená stát se sám nevážným. Já, bratře, *musím* lhát, nechci-li brát vážně blázny a stát se sám jedním z bláznů."

10

Byla neděle odpoledne a oba milenci odjížděli zpátky do města; byli sami v kupé (holčička už zase vesele švitořila) a Eduard si vzpomněl, jak se před časem těšil, že najde v nepovinné Alici životní vážnost, když mu ji jeho povinnosti nikdy neposkytnou, a s lítostí si uvědomoval (vlak idylicky tloukl o spáry kolejnic), že milostný příběh, jejž s Alicí prožil, je nicotný, upletený z nahodilostí a omylů, bez jakékoli vážnosti a smyslu; slyšel Alicina slova, viděl její gesta (tiskla mu ruku) a napadlo ho, že jsou to znaky zbavené významu, mince bez krytí, závaží z papíru, že na ně nemůže dát o nic víc než Bůh na modlitbu nahé ředitelky; a zdálo se mu najednou, že vlastně všichni lidé, s nimiž se v novém působišti setkával, byly jen čáry rozpité v pijavém papíře, bytosti s vyměnitelným postojem, bytosti bez pevné podstaty; ale co hůř, co mnohem hůř (napadlo ho dál), on sám byl jen stínem všech těch stínovitých lidí, vždyť vyčerpával všechen svůj rozum jen na to, aby se jim přizpůsoboval a napodoboval je, a i když se jim připodobňoval s vnitřním smíchem, nevážně, i když se jim tím snažil tajně vysmívat (a ospravedlnit tak své přizpůsobování), nic to na věci neměnilo, neboť i zlomyslná nápodoba zůstává nápodobou, i stín, který se vysmívá, zůstává stínem, podřízeným a odvozeným, ubohým a pouhým.

To bylo potupné, to bylo strašně potupné. Vlak idylicky tloukl o spáry kolejnic (holčička švitořila) a Eduard řekl:

„Alice, jsi šťastna?“

„Jo,“ řekla Alice.

„Já jsem zoufalý,“ řekl Eduard.

„Co blázníš?“ řekla Alice.

„To jsme neměli dělat. To se nemělo stát.“

„Co ti to vlezlo do hlavy? Vždyťs to sám chtěl!“

„Ano, chtěl,“ řekl Eduard. „Ale to byla má největší chyba, kterou mi Bůh nikdy neodpustí. Byl to hřích, Alice.“

„Prosím tě, co se ti stalo?“ řekla holčička klidně. „Vždyť jsi sám pořád říkal, že Bůh chce hlavně lásku!“

Když Eduard slyšel, jak si Alice klidně přisvojila jeho teologické sofisma, s nímž před časem tak neúspěšně vytáhl do boje, chytil ho běs: „Říkal jsem to, abych tě zkoušel. Poznal jsem teď, jak umíš být věrna Bohu! Ale kdo umí zradit Boha, člověka umí zradit stokrát snadněji!“

Ještě stále nacházela Alice pohotové odpovědi, ale neměla je raděj nacházet, protože jimi jenom rozdražďovala Eduardův mstivý vztek. Eduard mluvil dál a dál a mluvil tak dlouho (použil nakonec slova *hnus* a *tělesné zoškliveni*), až nakonec dostal z té klidné a něžné tváře vzlyk, slzy a nářek.

„Sbohem," řekl jí na nádraží a zanechal ji v pláči. Teprve doma za několik hodin, když z něho opadl ten divný hněv, došlo mu v plném dosahu, co udělal; představil si její tělo, které před ním toho dne ráno poskakovalo nahaté, a když si uvědomil, že mu toto krásné tělo odchází, protože si je sám a dobrovolně odehnal, nazval se v duchu idiotem a měl chuť se zfackovat.

Ale co se stalo, stalo se, a nic se nedalo už napravit.

Ostatně musíme po pravdě říci, že i když představa odcházejícího krásného těla způsobovala Eduardovi jisté hoře, vyrovnal se s tou ztrátou poměrně brzy. Jestliže ho před časem trápila a do stýskavosti přiváděla nouze o tělesnou lásku, byla to dočasná nouze čerstvého přistěhovalce. Touto nouzí už Eduard netrpěl. Jednou týdně navštěvoval ředitelku (zvyk zbavil jeho tělo počátečních úzkostí) a byl odhodlán ji navštěvovat, dokud se jeho postavení na škole docela nevyjasní. Kromě toho se pokoušel ulovit s postupujícím zdarem i leckteré jiné ženy a dívky. V důsledku obého si pak počal mnohem víc vážit chvil, kdy byl sám, a zamiloval si samotářské procházky, které někdy spojoval (prosím, tomu věnujte ještě poslední pozornost) s návštěvou kostela.

Ne, nemějte obavy, Eduard nezačal věřit v Boha. Mé vyprávění se nemíní korunovat efektem tak okázalého paradoxu. Ale Eduard, i když si je téměř jist, že Bůh není, přece jen se rád a nostalgicky obírá jeho představou.

Bůh, to je podstata sama, kdežto Eduard nenašel (a od příběhu s ředitelkou a Alicí uplynula již řádka let) nikdy nic podstatného ani na svých láskách, ani na svém učitelování, ani na svých myšlenkách. Je příliš bystrý, aby připustil, že vidí podstatnost v nepodstatném, ale je příliš sláb, aby po podstatnosti tajně netoužil.

Eduard a Bůh

Ach, dámy a pánové, smutno se člověku žije, když nemůže nic a nikoho brát vážně!

A proto Eduard touží po Bohu, neboť jedině Bůh je zbaven rozptylující povinnosti se *jevit* a smí pouze *být*; neboť jedině on tvoří (on sám, jediný a nejsoucí) podstatnou protistranu tohoto nepodstatného (leč tím víc jsoucího) světa.

A tak Eduard sedává občas v kostele a dívá se zadumaně ke kupoli. Rozlučme se s ním právě v takovou chvíli: je odpoledne, kostel je tichý a prázdný. Eduard sedí v dřevěné lavici a trápí se lítostí, že Bůh není. A právě v tuto chvíli je jeho lítost tak veliká, že se mu náhle z její hlubiny vynořuje skutečná, *živoucí* boží tvář. Dívejte se! Ano! Eduard se usmívá! Usmívá se, a jeho úsměv je šťastný...-

Ponechejte si ho, prosím, v paměti s tímto úsměvem.

NEMILOSRDENSTVÍ

Tak prý už je konec příběhům o směšných láskách, oznámil nám Milan Kundera *při vydání* Třetího sešitu směšných lásek *(Čs. spisovatel 1968; první svazek cyklu 1963, druhý 1966). Ať jsme tomu rádi, protože urážely náš mravní cit nebo dokonce sebevědomí emancipovaných žen, ať jsme neradi, protože nás blahodárně těšila jejich rozmarnost a autorova radost ze zauzlování příběhů, všichni patrně uznáme — následující konstatování není v souvislosti s českou literaturou pouhý konverzační obrat —, že cyklus nemusel být uzavřen proto, že by dobíhal z pouhé setrvačnosti dopován magickým číslem „tři" nebo že by unavený autor byl na daném poli pozbyl invence. Jistě i v tomto svazečku stojí vedle sebe povídky hlubší (Ať ustoupí staří mrtví mladým mrtvým, Eduard a Bůh) a plošší (rozkošnické Symposion a jeho ještě lehčí pokračování Doktor Havel po dvaceti letech) — o kterém povídkovém souboru to ostatně nelze říci —, nicméně vcelku zdá se mi třetí sešit zralejší než každý z obou předchozích svazků.*

Detabuizací erotické a sexuální tematiky si Kundera, jakkoli se tak také soudilo, nic neusnadnil: jak podráždění, tak vydráždění čtenáři utkvívali jen při ní, jako by za ní *už nic neexistovalo. Tolik je však jisté, že po zvolené námětové oblasti sáhl Kundera kromě jiného právě proto, že se mu žádná jiná sféra nejevila tolik výhodná k demonstraci jisté ideové problematiky jako právě tato. Existuje motivická návaznost mezi Monology a Směšnými láskami. Upamatujme se: vždyť už v Monolozích* sloužily *milostné verše v podstatě ke kritice stávající společenské mravnosti — buď tak, že tento motiv rovnou obsahovaly, buď nepřímo tím, že prostě básnily milostné vztahy ignorující „nový", pokrytecký společenský katechismus. Ani ve Směšných láskách tomu není jinak: s tím ovšem rozdílem, že poslední autorův cíl není už jako v časech Monologů etický, nýbrž ontologický. (I Žert jsme ostatně mohli označit za ideový román par excellence.) Tady se Kundera poprvé vystavuje možné výtce, že jeho děje (a pléduje přece pro epiku!) nemají smysl samy v sobě, neboť je konstruuje proto, aby na ně mohl navěsit rozmanitou ideovou zátěž — navíc zde, v Třetím sešitu, ve větší míře než předtím. Tyto potenciální výčitky mohly by mít jakési oprávnění jedině tehdy, kdyby zásadně odmítaly ten typ epické prózy, který počítá s kriticistickou reflexí jako s podstatnou a integrální složkou své metody — než právě takovým obecným položením ukázal by se tento druh výhrad jako projev velice malého porozumění pro dnešní vývoj prózy i — to neméně — pro sám Kunderův naturel. Nezapomeňme však na položenou otázku: Proč se Kunderovi tolik hodila erotická tematika a k čemu, jestliže — přes všecku svou fabulační nápaditost — nesetrval labužnicky jen při ní a naopak ji neustále překračoval? A ještě před touto otázkou: Je tomu skutečně tak, že Kundera využívá své erotické tematiky jen jako rozjezdové plochy?*

Nejnázornější odpověď na tyto otázky dává způsob, jakým Kundera zachází se svými mladými hrdiny (nescházejí v žádné z povídek: vždycky se musejí milkovat se starší ženou, v každé hrají důležitou roli). Už v Sestřičce mých sestřiček (v prvních Směšných láskách) nás Kundera poučil, co rozumí pod pojmem mladý*: věk pod třicet, popřípadě třiatřicet, kdy člověk ještě nerozpoznal skutečný, tj. „malý a nebohý" rozměr vlastního života. Kundera boří milovanou tradici českých čtenářů, symbolizovanou Šrámkovým Stříbrným větrem — odpustí mu to české publikum? (Až na to přijde?) Kunderovi mladíci, to jsou v podstatě ješitní hlupáčci opojení svým jediným vlastnictvím, totiž zadarmo darovanou biologickou vitalitou a neopotřebovaností, exhibicionisté jen na sebe soustředění, a proto tak snadno manipulovatelní. Jimi kreslí Kundera v podstatě karikaturu lyrického věku (vzpomeňme jen na jeho polemiku s Františkem Hrubínem!), rozcupovává jeho pýchu na šaškovské hadříky. Nesporně jde také o kriticismus namířený proti vlastním mladým letům — nenarážíme na něj ostatně u Kundery poprvé. Tato okolnost může sice osvětlit neschopnost milosrdenství, nestačí však ještě vyložit, proč tolik vytrvalé vehemence a sžíravé autorovy nechuti k předkristovskému věku. Proč tedy? Inu proto, že mládí je Kunderovi stavem* bez zkušenosti času, *a tedy vyzývavým* popěračstvím času. *(Tady někde by musel začít výklad Kunderova obratu od lyriky k epice.) Hříchem mládí podle*

Kundery je, že mu je cizí rozměr minulosti a s tím pocit uplývajícího času a že tuto neschopnost nahrazuje vzýváním nebo aspoň předpokladem báječné budoucnosti, jež znamená stav jakési časové beztíže. Zahleděním do sebe, odhaluje Kundera, nepřipoutává se mládí k přítomnosti, nýbrž právě ke své budoucí báječnosti, *jíž je přítomnost nanejvýš vzorkem, ukázkou. Schází-li však cítění minulosti, nedostává se člověku vědoucnosti, míry věcí, smyslu pro objektivní svět; a chybí-li pravé vědomí přítomnosti, uniká člověku skutečné bohatství ukryté v realitě, nesvede realizovat sám sebe, nesvede být autentický, a tedy svobodný. Zkrátka: Nezbývá nic. Ale to není ještě to nejhorší. Tak jako poskytují vždycky nejútrpnější pohled ti, kdož jsou „turečtější než Turek", jsou nejvlastnějším terčem Kunderova posměchu ti z dospělých, kteří přijali za svůj onen postoj pochopitelný pouze u mládí a kteří po jeho vzoru glorifikují budoucnost — s tím však rozdílem, že budoucnost nalézají ztělesněnu v dětech, jimž za oběť přinášejí sebeuskutečnění vlastní osobnosti. Tito* falešní dospělí a zároveň falešně mladí *takto ideologizují přirozené vlastnosti mládí a umocňují tím jeho nevýhody — jako by už ony samy nestačily k oslabenému vnímání života. Přítomný život se obětuje příslibu budoucího života a tato řada obětí nemá konce, fiktivní budoucnost vždycky pohltí možnou přítomnost, budoucí se stává zábranou přítomného, přítomné vždycky chodí o berličkách. Světlo a stín je u Kundery rozvrženo neměnně a přímočaře, rozvržení samo však nesouvisí ani s prostou generační příslušností (i staří kocouři tu přece dostávají co proto), a už vůbec ne s příslušností k tomu či onomu pohlaví (kolikrát je tu vítězný dobyvatel v podstatě pouhým nástrojem ženina sebeuskutečnění), nýbrž s určitým životním postojem — jenž je bohužel mládí nedostupný. Je jasné, nakolik se Kundera v* této *rovině odpoutal od empirické reality: lidé tu fungují jako symboly, takže nemá smysl brát věci doslova a polemizovat s autorem třebas ve jménu pravdy, že se rodiče v praktickém životě musejí obětovat pro své děti prostě proto, že je přivedli na svět a jsou za ně odpovědní. (Můžeme si pouze povzdechnout nad tím, že česká próza už léta zneužívá dětí jako hlásné trouby nebo symbolů toho a onoho. Už jsme opravdu daleko od časů Boženy Benešové.)*

Sžíravá autorova kritika mýtu budoucnosti, mýtu štěstí *jen do budoucna odkazovaného a v něm údajně uskutečnitelného míří znovu na konkrétní realitu: na takový společenský systém, který není schopen vytvořit autentickou, svobodnou realitu v přítomnosti, a rozhodl se proto maskovat svou impotenci pseudoteoriemi o zářivých perspektivách nejen vlastních poddaných, ale pro jistotu hned všeho lidstva. Blahobyt a svoboda jsou ustavičně jen v plánu, a právě proto nejsou vůbec v plánu. Demystifikace falešného společenského vědomí je skrytějším smyslem tak intimního motivu, jakým je nešikovná a napůl narcisistická láska mladých mužů k starším ženám. Za skrytějším politicko-morálním smyslem následuje ještě konečný smysl. Ten leží už čistě v rovině jisté životní filozofie. Identita člověka („já jsem já, já jsem já," ujišťuje se plačtivě hrdinka Falešného autostopu) a jeho autentičnost, hodnoty Kunderou tolik akcentované, vyrůstají v jeho povídkách jen a jen z humusu mnohovrstevné a intenzívně pociťované přítomnosti, do níž se integrovala minulost a s ní i zkušenost času. Je to vlastně pořád „člověk zahrada širá" (tak se jmenovala Kunderova básnická prvotina), koho plodí Kunderův epikureismus — což je zase pro změnu identita samého autora, který je takto, skrze svůj program, stále a paradoxně spjat s lyrikou, ač už na ni dávno zanevřel a obrátil se k epické próze a dramatu. Sám tedy svým dědicem, je Kundera vlastně dědicem meziválečné avantgardy — to také vnitřně opravňuje jeho nepřetržité vykladačské služby poskytované příslušníkům oné školy a jejím patronům i v časech tolik neavantgardních, v nichž se nejvíc ze všeho vyjevují právě slabiny avantgardy. Je to ovšem kritický dědic, vždyť se (například v předmluvě k výboru z G. Apollinaira 1965) potřeboval podívat na rub právě avantgardistického mýtu budoucnosti.*

Před několika lety napsal Kundera v jednom interview: „Nikdo nemůže vidět svět jako směšný, pokud s ním beze zbytku splývá. I k tomu, aby člověk sám sebe viděl v proporcích směšnosti, musí od sebe poodstoupit. Na ono zázračné stanoviště, z něhož je vidět směšné, dostává se člověk až během let; je to snad jakási odměna za dospělost. Směšné (alespoň jak já je chápu) nepopírá vážné, ale osvěcuje je." To sedí. Směšného je tu skutečně habaděj, ale není jen záležitostí komických situací, směšných rysů, parodických výkladů (vnímejme například povídku Symposion na pozadí platónského termínu), duchaplných bonmotů: směšné sídlí v tak hlubokých vrstvách životních, až to někdy mrazí. Co jiného než říše lásky zdá se být nedotknutelnou říší svobody, kde jinde než tady měl by se prosadit člověk, jaký skutečně je a jakým být chce. A kde jinde než zde může proto člověk tak krutě pocítit rozčarování, jak málo je jeho nejautentičtější a nejautonomnější sféra uchráněna před vlivem času individuálního a dějinného, atavismů a konvencí, ideologií a politických režimů. A je-li sama láska tak bezpomocně vydána na pospas napětí mezi příčinnou determinací a svobodnou vůlí, co teprve zbývá ostatním oblastem života! Myslím, že žádná česká próza posledních let nevysmála se frázi o svobodě jako poznané nutnosti s takovou převahou jako právě povídky Kunderovy. Jak v nich reagují dospělí, a tedy vědoucí strůjci situací na hořké poznání, že se situace nakonec vyvinou bez ohledu na původní plán a podle svého? (Svého nerovná se cizího, v tom je kapka optimismu.) Vyvozují z této zkušenosti poučení, že se musejí zhoupnout na hravé vlně náhody, *splynout s ní, chtějí-li se podílet na svobodnosti neovlivnitelného samopohybu věcí čili sebrat kost z boháčova stolu. Kunderovy postavy však zároveň předvádějí, že jakousi možnost vlastní aktivity člověk přece jenom má, a to tehdy, je-li sám strůjcem osvobozující náhody — jako by onu kost, která pak spadne z bohatého stolu roztodivné reality, položil na stůl sám ten, kdo ji pak sebere. Poslem náhody se stává* žert, *žert znamená ono vykolejení k náhodě a tím i příslib svobody, byť příslib jakkoli nezaručený: vždyť i svobodně rozehraná situace nabývá své logiky, i náhoda nasazuje dějům svěrací kazajku nevyhnutelnosti. Není to k popukání, jak „svobodně" se pohybujeme jak mezi holkami, tak uprostřed dějin? (Když si J.P. Sartre zaprorokoval, že skutečně velký román o tomto století bude román ze socialistické zkušenosti, jistě ho ani ve snu nenapadlo, že to bude muset být román v kunderovském slova smyslu komický.) Autorův kriticismus neměří přitom všem stejně, vůči pokusům vnutit determinismu svou vůli je bdělejší než vůči pokusům uniknout z determinismu náhodou a hrou. Máme se však řídit jen podle výsledků lidského snažení? Nemůže být pro jedincovu cestu za opravdovostí, celistvostí a svébytností cennější jít hlavou proti zdi spletitě protichůdných sil než slibná a dráždivá konformita s nahodi-*

lostmi života? Odpovědi na tuto otázku rozestupují se už zřejmě podle tzv. životní filozofie toho, kdo odpovídá.

Ale vraťme se ještě jednou bezprostředně k textu Třetího sešitu. Závěr třetí povídky (Eduard a Bůh) zní: „...Eduard sedí v dřevěné lavici a trápí se lítostí, že Bůh není. A právě v tuto chvíli je jeho lítost tak veliká, že se mu náhle z její hlubiny vynořuje skutečná, živoucí *boží tvář. Dívejte se! Ano! Eduard se usmívá! Usmívá se, a jeho úsměv je šťastný... Ponechejte si ho, prosím, v paměti s tímto úsměvem." Zvláštní smích, a tedy zvláštní směšná láska, jejichž jediným precedentem (a zároveň důkazem, že nejde o ideologickou záležitost) je finále Falešného autostopu (z Druhého sešitu); tam jde ovšem o zvláštní pláč a hrůzný milostný výšleh. Nevím proč, ale nechce se mi závěr povídky Eduard a Bůh brát jako ad absurdum dovedenou parodii na toporný ateismus, a ani se mi v něm nechce vidět rafinovanou beletristickou ilustraci — jak by se mohlo zlomyslně říci — jednoho ze zákonů dialektiky, tzv. zákona negace negace. Projev Kunderovy racionality tu nechybí. Spočívá v ironickém odstupu, ale tato ironie vydává své vlastní* básnické *světlo. Jako by se hra, kterou v povídce nastoupil hrdina Eduard, nebyla vymkla z rukou jen svému původci, nýbrž popřela samu sebe. A jako by se autor bez vlastního přičinění přehoupl přes brlení svých propočtů a tím i své beletristické esejistiky — přitom však přirozeně a v duchu svého pojetí, když překvapivě osvítil svobodu nikoli jako stav, nýbrž jako zázračnou vteřinu na bezkonečné cestě. A víc: když ji před námi, na těch několika řádcích, stvořil.*

Jiří Opelík, 1969.

POZNÁMKA AUTORA

První směšnou lásku jsem napsal v roce 1958 a jmenovala se *Já truchlivý Bůh.* Mořil jsem se v té době nad *Majiteli klíčů* a v přestávce mezi tou prací, jako oddech, jako pobavení jsem napsal první povídku svého života, a to během jednoho či dvou dnů, lehce a s pocitem požitku. Teprve z určitého odstupu jsem si uvědomil, že ta lehkost a požitek svědčily nikoli o tom, že potem neposvěcená povídka byla čímsi nedůležitým, okrajovým, ale právě naopak, že jsem v ní, jak se říká, poprvé našel sama sebe; tehdy jsem našel svůj tón, ironický odstup od světa i od vlastního života a stal se romanopiscem (potenciálním romanopiscem); teprve od té chvíle začíná můj souvislý literární vývoj, který byl sice nadále plný překvapení, ale v němž už nedošlo k žádné změně orientace.

Směšné lásky jsem psal postupně mezi rokem 1958 a 1968 a vydával je na pokračování. V roce 1963 *První sešit směšných lásek* (*Já truchlivý Bůh, Sestřičko mých sestřiček, Nikdo se nebude smát*); v roce 1965 *Druhý sešit směšných lásek* (*Zlaté jablko věčné touhy, Zvěstovatel, Falešný autostop*). V roce 1969 *Třetí sešit směšných lásek* (*Symposion, Ať ustoupí staří mrtví mladým mrtvým, Eduard a Bůh, Doktor Havel po dvaceti letech*), jemuž se dostalo ceny nakladatelství Československý spisovatel, kterou jsem přejal z rukou tehdejšího ředitele nakladatelství, milovaného Ladislava Fikara, který brzy poté musil své místo opustit. Na začátku roku 1970, těsně předtím, než dopadla na české autory okupační cenzura trvající celých příštích dvacet let, vyšlo ještě shrnutí všech tří sešitů v jednom svazku nazvaném *Směšné lásky.* Z tohoto souboru jsem vyřadil dvě povídky: *Sestřičko mých sestřiček* a *Zvěstovatele.* Když jsem prohlížel téhož roku korektury francouzského vydání, vyřadil jsem ještě na poslední chvíli *Já truchlivý Bůh.* Co se mi na těch vyřazených povídkách nelíbilo, bylo jen něco docela málo, třeba to, že jsem v nich sem tam ještě slyšel cizí, vypůjčený hlas anebo (v případě *Zvěstovatele*) že jsem věděl, že se povídka dala napsat o něco lépe.

Na podkladě *Směšných lásek* vznikly v Čechách dva filmy: *Nikdo se nebude smát* v režii Bočanově podle Juráčkova scénáře, který se mi nelíbil; *Já truchlivý Bůh* v režii Kachlíkově, natočený podle mého vlastního scénáře: hlavní role hráli nádherně Miloš Kopecký a Pavel Landovský. V posledních deseti letech dostávám každý rok několik žádostí o práva na zfilmování zejména *Falešného autostopu* a *Symposia.* Jsem čím dál víc přesvědčen, že umělecké formy jsou nepřevoditelné: nelze udělat z románu film, ani z filmu divadlo, ani z divadla povídku. Má nedůvěra k adaptacím se stala v posledních letech neoblomná, a proto všechny žádosti toho druhu odmítám.

Nepočítám-li v Bratislavě vydaný slovenský a maďarský překlad prvních povídek, bylo první zahraniční vydání *Směšných lásek* francouzské. Během dalších dvaceti let vycházejí pak *Směšné lásky* postupně ve všech západoevropských jazycích, a též v polštině (1971), v srbochorvatštině, slovinštině, hebrejštině. V italštině vyšly *Směšné lásky* v roce 1973 v nakladatelství Mondadori a potom v roce 1987 v novém překladu v nakladatelství Adelphi, které v těch letech vydalo v nových překladech všechny moje knihy. V roce 1981 vycházejí *Směšné lásky* v Torontu u Škvoreckých: toto české vydání odpovídalo francouzskému vydání z roku 1970 a považoval jsem ho za definitivní. Vydání v Atlantisu se liší od vydání u Škvoreckých jen několika málo zcela drobnými opravami, zejména škrty.

V němčině a španělštině vycházejí *Směšné lásky* poprvé až v roce 1986 a 1987, a to pod titulem *Kniha směšných lásek.* Jednotlivé povídky jsou v obsahu označeny nikoli jako povídky, nýbrž, po způsobu románů, jako části. K této změně nedošlo na nátlak nakladatele, ale z mé vlastní iniciativy. K tomu malé vysvětlení.

Po přestěhování do Francie dal jsem se do psaní další povídkové knihy, ale hned po druhé povídce jsem tušil, že to, co podnikám, je kniha prózy spjatá kompoziční jednotou, že její jednotlivé části nebudou tedy samostatné a soběstačné jako je tomu ve sbírce povídek, nýbrž že každá část bude osvětlovat zpětně část předchozí a teprve poslední z nich dá plný smysl celé knize. Čím víc jsem se nad svým rukopisem zamýšlel, tím více jsem si byl jist, že to, co jsem udělal, není nic jiného než román, román, tak jak já sám ho pojímám a chápu. A tak jsem dokončený rukopis nazval *Román smíchu a zapo-*

mnění. Když četl poprvé překlad v rukopisu můj přítel Claude Roy, literární kritik a člen vedení nakladatelství Gallimard, měl námitky proti slovu „román" a radil mi nahradit ho slovem „kniha". Protože jsem nechtěl svést čtenáře a kritiku ke zbytečné diskusi, zda jsem napsal román, či ne, přijal jsem jeho návrh. (Nechci popřít, že jsem toho později litoval.)

Co je pro mne román, jsem potom definoval v knize *L'art du roman*: „Velká kniha prózy, v níž autor prostřednictvím experimentálních já (postav) zkoumá až do konce několik velkých témat lidské existence." Touto definicí jsem chtěl dát najevo, že forma románu je dílem naprosté autorovy svobody a že pojem románu nelze sevřít žádnými apriorními formálními definicemi. Tak jak se vytvořil na začátku 19. století, založil román svou kompozici na přísné jednotě děje. Ale v předchozích obdobích tomu tak nebylo. Diderotův *Jakub fatalista* například žádnou jednotu děje nemá (právě proto je mi tolik drahý a doporučuju ho všem romanopiscům ke studiu). Snažil jsem se už od *Žertu* dát románu ještě jinou jednotu, než je jednota dějová: zejména jednotu témat, to jest existenciálních otázek, které probíhají celým románem a jsou z různých stran osvětlovány. Časem jsem začal považovat tuto tematickou jednotu za důležitější než všechny jiné a v *Knize smíchu a zapomnění* jsem došel k tomu extrému, že dějová jednota je zcela zastoupena jednotou tematickou.

Když jsem se pak zpětně zamýšlel nad *Směšnými láskami*, zkonstatoval jsem, že byly vlastně jakousi neuvědomělou prefigurací kompozice *Knihy smíchu a zapomnění.* Jsou sjednoceny několika tématy, která procházejí celou knihou: mystifikace (zápletka šesti povídek je založena na mystifikaci); nemožnost donjuanství v moderním světě; problematická identita jednotlivce; komika lyrického věku (mládí). Podobně jako *Kniha smíchu a zapomnění* je navíc spjata postavou Taminy, která vystupuje v čtvrté a šesté povídce, mají i *Směšné lásky* stejného hrdinu v čtvrté a šesté povídce: doktora Havla. A podobně jako tematická a motivická jednota umožnila v *Knize smíchu a zapomnění* velkou formální rozmanitost jednotlivých částí, charakterizovala tato formální různost i *Směšné lásky*: na jedné straně teatrální vaudeville *Symposia* (které je formálním prototypem *Valčíku na rozloučenou* a *Lítosti*), na druhé straně mikroskopická analýza jediné situace rozvinuté na prostoru pouhých několika hodin: *Falešný autostop* a *Ať ustoupí staří mrtví mladým mrtvým* (což jsou zase formální prototypy například šesté části *Život je jinde, Maminky* z *Knihy smíchu a zapomnění* atd.).

Je lépe podtrhnout na *Směšných láskách* jejich románovost, jako jsem to udělal v Německu a Španělsku? Anebo je nechat knihou povídek? Upřímně řečeno, nevím. Ale v Čechách jsou *Směšné lásky* známy už víc než dvacet let jako sbírka povídek a nebudu na tom nic měnit.

Jako doslov k tomuto vydání je použito textu Jiřího Opelíka uveřejněného v Literárních novinách z roku 1969. Je to, zdá se mi, nejenom velmi přesný pohled na mou knihu, ale i svědectví o mimořádné úrovni literárněkritického myšlení v Čechách šedesátých let.

MILAN KUNDERA

SMĚŠNÉ LÁSKY

Doslov Jiří Opelík
Obálka, vazba a grafická úprava Boris Myslivеček
Vydalo nakladatelství Atlantis v Brně roku 1991
jako svou 27. publikaci
Odpovědná redaktorka Jitka Uhdeová
Technický redaktor Igor Gargoš
Vytiskla tiskárna Spektrum, s. p.,
Brno-Horní Heršpice, Vídeňská 113
Počet stran 208
Tematická skupina 13/33
Vydání tohoto souboru v ČSFR první
18-028-91

ISBN 80-7108-027-6